LE TALISMAN DE NERGAL

2. LE TRÉSOR DE SALOMON

Catalogage avant publication de Bibliothèque et Archives nationales du Québec et Bibliothèque et Archives Canada

Gagnon, Hervé, 1963-

Le Talisman de Nergal

T. 2. Le Trésor de Salomon
Pour les jeunes de 12 ans et plus.

ISBN 978-2-89647-073-0 (v. 2)

PS8563.A327T34 2008   jC843'.6   C2007-942151-2
PS9563.A327T34 2008

Les Éditions Hurtubise HMH bénéficient du soutien financier des institutions suivantes pour leurs activités d'édition :

– Conseil des Arts du Canada ;
– Gouvernement du Canada par l'entremise du Programme d'aide au développement de l'industrie de l'édition (PADIÉ) ;
– Société de développement des entreprises culturelles du Québec (SODEC) ;
– Gouvernement du Québec par l'entremise du programme de crédit d'impôt pour l'édition de livres.

Éditrice jeunesse : Nathalie Savaria
Conception graphique : Kinos
Illustration de la couverture : Kinos
Mise en page : Martel en-tête

© Copyright 2008
Éditions Hurtubise HMH ltée
Téléphone : (514) 523-1523 · Télécopieur : (514) 523-9969
www.hurtubisehmh.com

ISBN 978-2-89647-073-0

Dépôt légal : 1er trimestre 2008
Bibliothèque et Archives nationales du Québec
Bibliothèque et Archives du Québec

Imprimé au Canada

HERVÉ GAGNON

LE TALISMAN DE NERGAL

2. LE TRÉSOR DE SALOMON

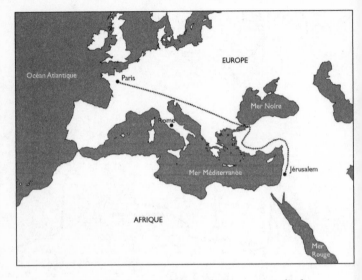

Route des pèlerins vers Jérusalem au XIIIe siècle

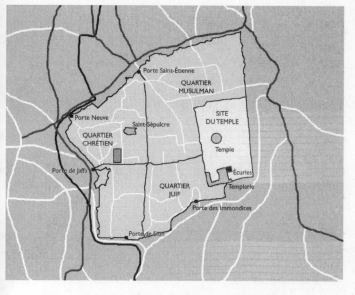

La ville de Jérusalem au XIIIᵉ siècle

LE TEMPLE DU ROI SALOMON

Jérusalem, en l'an 950 avant notre ère

Le soleil était couché depuis plusieurs heures déjà. Épuisés par une autre longue journée de labeur, les quelque trente mille ouvriers dormaient. Hiram Abif, maître architecte du temple, adorait cet instant. Tous les soirs, lorsque l'activité bourdonnante du chantier avait cessé, que les maillets et les ciseaux à pierre s'étaient tus, il se retirait pour faire ses dévotions puis revenait inspecter les lieux pour vérifier la qualité du travail accompli. Il se rappelait avec émotion et fierté le moment où le roi Hiram de Tyr l'avait convoqué à son palais. Il lui avait annoncé que Salomon, roi d'Israël, lui avait confié la construction d'un temple et que c'était lui, Hiram Abif, qui en serait le responsable. Pendant les vingt ans qui avaient suivi, le bâtisseur avait travaillé sans relâche pour réaliser le grand œuvre de sa vie, traçant les plans, s'assurant de la rectitude des angles et de la droiture des cloisons, examinant chaque pierre et distribuant jour après jour les tâches aux contremaîtres, qui les relayaient à leur tour aux ouvriers. Maintenant, l'ouvrage était presque achevé.

Le roi Salomon avait voulu que son temple soit plus fastueux que toute autre construction sur terre, car le dieu d'Israël lui-même allait y habiter. Hiram n'avait rien ménagé pour le satisfaire. Avec sa surface de dix-huit coudées[1] sur cinquante-quatre et ses cent huit coudées de hauteur, le petit temple de pierre à trois étages qu'il avait conçu était une merveille d'équilibre et de proportions. Des bassins d'or, d'argent et de bronze ainsi que des sculptures étaient disposés dans la cour intérieure. De chaque côté de l'entrée du temple s'élevaient deux hautes colonnes de bronze délicatement ouvragées.

Une lampe à la main, Hiram pénétra dans le temple. Les murs de la première salle étaient revêtus de cèdre du Liban sculpté des motifs les plus gracieux, laminé d'or et serti de pierres précieuses. L'architecte traversa les pièces successives, toutes aussi féeriques, et se dirigea vers le cœur du temple. Arrivé devant

---

1. Une coudée babylonienne vaut 0,5 mètre.

une lourde double porte de cèdre et de pin incrustée d'or et de joyaux, il lissa avec vanité son épaisse chevelure blanche et sa barbe abondante, faisant cliqueter ses bracelets d'or, puis la poussa et entra dans la chambre du milieu. On appelait ce lieu le Saint des Saints. On disait que c'était ici que vivrait le dieu d'Israël. Bientôt, personne ne serait plus autorisé à y pénétrer. L'endroit était un modeste carré, mais ses murs étaient laminés de quatre cents talents[1] d'or. Même les clous étaient en or ! Au centre de la pièce, deux créatures ailées, sculptées dans du bois d'olivier, montaient la garde face à l'entrée. Leurs ailes déployées se touchaient au-dessus d'un autel d'or et d'argent recouvert de tissu teint de précieuse pourpre phénicienne. Sous cet autel, dans une chambre souterraine, le roi Salomon avait fait déposer son trésor mais surtout l'Arche d'Alliance qui, croyait-on, contenait les Tables de la Loi écrites de la main du dieu d'Israël et remises au prophète Moïse voilà des millénaires.

Tout en étant fier de son œuvre, Hiram n'avait jamais perdu de vue sa véritable mission, celle qui se cachait derrière son art. Il n'oublierait jamais son maître, Naska-ât, ni ses compagnons Ashurat, Mour-ît, Abidda et

---

1. Un talent vaut environ cinquante kilos.

Nosh-kem. Il pensait souvent à eux depuis qu'il avait dû quitter secrètement le chantier pour assister à une rencontre durant laquelle Ashurat leur avait annoncé qu'il croyait avoir découvert l'Élu d'Ishtar. Mais il y avait de cela longtemps déjà et l'Élu ne s'était jamais manifesté. Hiram s'était donc assuré que le fragment du talisman de Nergal, confié jadis par Naska-ât, serait en sécurité pour l'éternité.

Pour le maître bâtisseur, le mandat d'ériger le temple du roi Salomon avait été une chance inespérée. Un tel édifice était lourd et exigeait des fondations solides qui s'enfonceraient profondément dans le sol. Hiram avait saisi l'occasion. De ses propres mains, il avait creusé dans le plus grand secret et avait aménagé sous les fondations du temple une petite voûte de pierre. Il y avait déposé le fragment du talisman de Nergal puis l'avait scellée à jamais. Il avait imaginé un mécanisme que seule la bague d'un Mage pourrait actionner et avait pris soin d'y laisser un signe que personne d'autre que l'Élu ne comprendrait. Maintenant, le fragment était enfoui sous le poids d'un temple éternel qui en était le véritable gardien.

Ton orgueil finira par te perdre, lui avait dit un jour Naska-ât, alors qu'il n'était encore qu'un jeune apprenti un peu fougueux. Hiram secoua la tête. Le maître avait eu tort. C'était précisément grâce à cet orgueil, normal chez le plus grand de tous les bâtisseurs, que la solution s'était présentée à lui.

Hiram approchait de la soixantaine. Il sentait bien qu'Ishtar ne lui accorderait plus beaucoup de temps. Maintenant que l'œuvre achevait, il devait former un apprenti. Le moment venu, il lui léguerait la bague des Mages d'Ishtar et lui révélerait l'emplacement du fragment. Jusqu'à la fin des temps, il suffirait à ses successeurs de veiller sur le temple de Salomon. Grâce à lui, Hiram, le plus astucieux des disciples de Naska-ât, Nergal ne pourrait pas traverser le portail et le Nouvel Ordre ne serait jamais établi.

L'architecte sortit du temple et en verrouilla soigneusement les portes. Le roi Salomon refusait que l'on poste des gardes près du temple. Il avait la conviction que personne n'oserait piller la résidence du dieu d'Israël. À ses yeux, agir autrement aurait été une insulte à la foi de tout son peuple.

Comme chaque nuit, Hiram fit une ronde dans la cour intérieure pour s'assurer que tout était prêt pour le lendemain. Sa lampe à la main, il inspecta la porte sud de l'enceinte, puis la porte nord. Tout était tranquille. De l'autre côté de la petite muraille, dans des loges construites à la hâte, les ouvriers dormaient à poings fermés. Lorsqu'il fut parvenu à proximité de la porte est, une silhouette surgit de sous l'arche et se planta devant lui. Hiram sursauta.

— Qui va là ? demanda-t-il.

Dans la pénombre, le visage de l'intrus échappait à la faible lumière de sa lampe. L'homme s'avança vers Hiram. Torse nu et vêtu d'un simple pagne, il était grand et élancé. Le travail avait nettoyé son corps du moindre excès de graisse et ses muscles félins saillaient sous sa peau bronzée. Il tenait à la main un des lourds maillets de bois qu'utilisaient les tailleurs de pierre pour frapper leur ciseau. Il s'avança et Hiram reconnut en lui un contremaître qui était arrivé sur le chantier quelques semaines auparavant.

— Jubelo ? Que fais-tu là à cette heure ? s'enquit le bâtisseur, étonné. Tu sais bien qu'il est interdit de pénétrer dans l'enceinte du temple après les heures de travail.

Le contremaître haussa les épaules avec indifférence.

— Retourne immédiatement avec tes ouvriers ! ordonna Hiram. Ou je te congédie sur-le-champ !

— Où as-tu caché le fragment, Hiram ? répliqua l'homme, sans préambule, en faisant tournoyer son maillet d'un air menaçant.

Le maître architecte se figea et sentit un frisson lui parcourir le dos. D'un seul coup, il comprit que son pressentiment était justifié. Le passé l'avait finalement rattrapé.

— Ainsi, vous avez fini par me retrouver, déclara-t-il avec le calme de celui qui accepte que sa dernière heure est venue.

— Comme tu vois…

— Malheureusement pour toute la racaille qui adore cette vomissure de Nergal, il est trop tard.

— Où est le fragment ? répéta Jubelo.

L'orgueil d'Hiram choisit ce moment pour se manifester et l'emporta sur la prudence.

— Dans un endroit dont je connais seul le secret, rétorqua-t-il en bombant fièrement le torse. J'ai usé de toute ma science pour que ce temple résiste à l'éternité elle-même. Tous les Nergalii du monde ne pourront pas le soulever. Jamais vous ne reconstituerez votre talisman. Pour toujours, vous maudirez mon œuvre.

Le contremaître sourit.

— Merci. C'est tout ce que je voulais savoir, dit-il. Justement, nous avons l'éternité devant nous. Nous attendrons qu'il tombe, ton temple. Ensuite, nous creuserons, à mains nues s'il le faut. Meurs en sachant que tu as échoué, Mage d'Ishtar !

Sans prévenir, Jubelo asséna un violent coup de maillet au front d'Hiram. L'architecte s'effondra sur le sol, ensanglanté.

Jubelo se pencha sur le corps d'Hiram. Il retira de son doigt la bague des Mages d'Ishtar et la fourra dans une petite pochette de cuir qu'il portait à la taille. Il se releva, satisfait et soulagé. Maintenant, il savait où se trouvait le fragment : *sous* le temple du roi Salomon. Bien sûr, il pourrait chercher à percer tout de suite le secret de la cachette aménagée par Hiram, mais le temple était tout neuf et solide. Cela exigerait du temps et des efforts. De plus, rien ne garantissait qu'il réussirait. Il était beaucoup plus simple d'attendre que les millénaires fassent leur œuvre et que le temple ne soit plus que ruines. Il lui suffirait alors de fouiller les décombres. Le travail serait dur, mais les risques seraient moindres. De toute façon, le temps était sans importance. Pour Jubelo, cet avenir lointain, ce serait demain.

En attendant, la disparition de l'architecte causerait sans doute des remous. Le roi Salomon l'estimait beaucoup et le ferait chercher. Mieux valait qu'on croie qu'il avait simplement quitté le chantier. Jubelo saisit le corps et le posa sur son épaule. Il franchit la distance qui le séparait du temple. Poussant l'une après l'autre les portes de l'enfilade de pièces, il atteignit le Saint des Saints. Là, il se délesta de son fardeau et s'approcha de l'autel, sous le regard sévère des deux créatures ailées.

Jubelo s'était arrangé pour faire partie de l'équipe de maîtres ouvriers chargée de construire la chambre du trésor où le roi avait déposé les Tables de la Loi. Il en connaissait le secret et avait juré de le préserver mais, pour un Nergali, un serment n'avait aucune valeur.

Il appuya sur un endroit précis de l'autel. Un déclic retentit et, avec un grondement sourd de pierres frottant les unes contre les autres, le lourd meuble d'or et d'argent pivota sur lui-même, révélant une grande dalle à même le sol. Lorsque le temple serait achevé, elle serait scellée à jamais, mais pour l'instant, elle était encore ouverte, car on y versait chaque jour de nouvelles richesses.

En bas, dans la chambre du trésor, enveloppées dans des tissus pourpres d'une valeur inestimable, reposaient quelques tablettes d'argile et d'inimaginables monceaux de richesses. De l'or, de l'argent, des pierres précieuses... Jubelo ne convoitait rien de tout cela. Le fragment du talisman de Nergal valait infiniment plus.

Il empoigna le corps d'Hiram par la tunique, le tira jusqu'à l'ouverture et l'y fit basculer. Puis il actionna de nouveau le mécanisme secret et l'autel reprit sa place. Le bâtisseur du temple, le grand Hiram Abif, veillerait à jamais sur les Tables de la Loi écrites par un dieu qu'il n'adorait pas. «Ishtar n'allait sans doute pas apprécier l'ironie de la situation», songea Jubelo, amusé. Mais Nergal, lui, s'en régalerait.

Jubelo admira une dernière fois la splendeur du Saint des Saints. Lorsqu'il y reviendrait, tout serait détuit. Puis il écarta les bras et se recueillit, conjurant les Pouvoirs Interdits. Autour de lui, l'air vibra dans la nuit et il quitta le royaume du roi Salomon.

✦

Appuyé contre la paroi du Saint des Saints, Hiram Abif, maître bâtisseur et Mage d'Ishtar, agonisait. Il était emmuré et la vie fuyait lentement par sa blessure. Il n'avait plus sa bague. Jubelo s'en était emparé. Le pouvoir des Anciens n'obéissait pas aux Nergalii et pourtant, il avait jugé bon de prendre le joyau. Que voulait-il donc en faire ? Une inquiétude sourde s'insinua dans l'esprit du bâtisseur.

S'accrochant à ses dernières étincelles de conscience, le Mage d'Ishtar tâta les murs dans le noir et trouva ce qu'il cherchait. Il trempa son doigt dans le sang qui lui coulait du front et laissa une ultime trace sur le mur. Si l'Élu venait jamais, il saurait la reconnaître. Et il survivrait au piège de la voûte. Ishtar protégerait son fils.

À bout de forces, Hiram s'adossa de nouveau contre le mur et attendit la mort avec sérénité. Elle ne serait pas longue à venir. Alors même que la flamme de sa vie s'éteignait, il songea à son magnifique temple, qu'il ne verrait jamais achevé, au fragment, qui n'était peut-être pas aussi en sécurité qu'il l'avait cru, et à l'apprenti qu'il laissait derrière lui, sa formation encore incomplète. Il ne lui léguerait jamais sa bague. Sa dernière pensée, avant de sombrer dans l'éternité, fut de maudire l'orgueil qui l'avait perdu. Maître Naska-ât avait eu raison...

MAURIN DE L'ISLE

Devant Jérusalem, en l'an de Dieu 1244

Au pied d'une imposante muraille de maçonnerie, des flammes éclairaient la nuit. Leur danse donnait une apparence surnaturelle aux énormes blocs de pierre qui composaient l'ouvrage et à la haute porte de bois fortifiée. Assis autour de feux de camp, des hommes, des femmes et des enfants vêtus de haillons avaient l'air hagard. Plusieurs dormaient. D'autres discutaient pour tuer le temps, trop épuisés pour trouver le sommeil.

— Tu crois qu'on va jamais finir par entrer ? demanda avec un soupir de lassitude un homme âgé à son voisin plus jeune. Ça fait deux jours qu'on attend comme ça.

La pèlerine de l'homme qui venait de poser la question, serrée à la taille par une ceinture, était tachée et trouée. Sa barbe et ses cheveux longs et emmêlés dépassaient du capuchon qu'il avait rabattu sur sa tête pour se préserver de la fraîcheur de la nuit. La lumière vacillante des flammes ne parvenait pas à cacher la crasse qui lui couvrait le visage et les cernes de fatigue qui soulignaient ses yeux. Ses vieilles chausses de cuir étaient percées et sa culotte était usée jusqu'à la corde. Il avait posé par terre le bâton sur lequel il s'était appuyé durant sa longue marche vers la Terre sainte. Dans le creux de ses jambes croisées se trouvait la besace de cuir où il conservait un peu de nourriture et les maigres biens qu'il transportait avec lui, dont la pièce d'or avec laquelle il devrait payer son entrée dans Jérusalem. Le regard perdu dans le feu crépitant, il faisait distraitement tourner dans ses mains le chapeau de feutre à larges rebords qui complétait le costume de tous les pèlerins.

— Je l'espère bien, répondit l'autre avec un rire cynique. Après des mois de marche, la menace des brigands qui veulent nous détrousser, la faim, la soif, les bêtes sauvages, les sentiers escarpés, les ampoules aux pieds, la chaleur, les moines qui nous hébergent et qui nous nourrissent avec une bouillie qu'ils ne donneraient même pas à leurs cochons, les Sarrasins[1] qui nous haïssent et qui ne demandent pas mieux que de nous trancher la gorge,

---

1. Nom donné par les chrétiens aux musulmans.

ce serait quand même trop cruel de rester aux portes de la ville sainte.

— Tu as fait le pèlerinage de Jérusalem pour quelle raison, toi? interrogea le vieil homme.

— Pour la même que les autres, j'imagine, rétorqua le plus jeune en désignant de la tête les gens accroupis autour d'autres feux. J'espère obtenir le pardon de mes péchés et sauver mon âme.

— Qu'as-tu fait, au juste?

Le pèlerin soupira.

— J'ai eu la mauvaise idée de prêter de l'argent avec intérêts, avoua-t-il. C'est interdit par l'Église, mais il y a tellement de prêteurs que je ne croyais jamais me faire prendre. Lorsque mon crime a été connu, on m'a donné le choix entre l'écartèlement sur la place publique par quatre chevaux bien fringants ou une amende honorable[1] sur le tombeau de Notre-Seigneur Jésus-Christ. La décision a été facile! Au moins, en prenant la croix du pèlerin, je savais que mes biens seraient protégés par l'Église et que ma famille serait en sécurité. Et toi?

— Moi? Ma fille est très malade. Le haut mal[2], selon le médecin. Le barbier l'a saignée

---

1. Demander pardon de ses péchés ou d'un crime en public.
2. L'épilepsie.

jusqu'à ce qu'elle soit presque exsangue. L'apothicaire lui a fait avaler des potions de toutes sortes, toutes plus écœurantes les unes que les autres. Le prêtre l'a exorcisée pour chasser le démon. La sage-femme lui a donné des herbes et a dit des prières les soirs de pleine lune. Le chirurgien lui a même fait une trépanation[1], sans résultat. Je fais le pèlerinage pour obtenir sa guérison. Sinon, les remèdes vont tuer la pauvresse avant la maladie.

— Tu crois que tu seras exaucé ?

— Je l'espère de tout mon cœur, soupira le père éploré en haussant les épaules. Le curé dit qu'il faut prier pour un miracle et avoir la foi. Mais je ne croyais pas que ce serait si difficile. Et puis, après six longs mois, qui sait ? Elle est peut-être déjà morte.

Un homme passa lentement derrière eux.

— Frère sergent Bérenger, interpella le pèlerin le plus âgé. Quand croyez-vous que nous entrerons à Jérusalem ?

L'individu avait un air vaguement menaçant. Une barbe touffue lui descendait sur la poitrine et la coiffe de métal qu'il avait rabattue sur sa nuque révélait un crâne rasé. Il portait une lourde cotte de mailles qui lui enveloppait le torse, les bras et les jambes et, par-dessus, un long manteau noir sur lequel

---

1. Une ouverture dans le crâne.

était cousue une grande croix rouge. Une ceinture de cuir soutenait une épée droite à deux tranchants dont sa main ne quittait presque jamais le pommeau, et une dague portée sur le côté droit. Il s'arrêta.

— Ne désespère pas, pèlerin, répondit-il en fixant sur l'interlocuteur un regard fier et perçant. Par la grâce de Dieu et avec la protection de l'ordre des Pauvres Chevaliers du Christ et du Temple de Salomon, vous êtes parvenus sains et saufs à Jérusalem. Demain, la porte Saint-Étienne s'ouvrira.

Sans rien ajouter, l'homme poursuivit sa ronde entre les feux de camp.

— Ces templiers... dit avec dépit l'homme plus âgé lorsque le chevalier se fut éloigné. Ils sont si arrogants.

— Peut-être, mais sans leur protection, nous ne serions pas ici aujourd'hui. Les brigands ou les Sarrasins nous auraient trucidés bien avant. Depuis un siècle, ils ont guidé des milliers de pèlerins vers la ville sainte et ils n'en ont pas perdu beaucoup. On dit qu'ils sont les meilleurs guerriers d'Occident. Moi, je n'aimerais pas me retrouver devant l'un d'eux sur un champ de bataille. Il paraît qu'ils ont l'obligation de combattre jusqu'à la mort à moins que leurs adversaires ne soient trois fois plus nombreux.

— Soit, je te l'accorde, ils sont courageux et efficaces. Mais on raconte aussi toutes sortes de choses étranges à leur sujet, répliqua le premier. Par exemple, que la protection des pèlerins n'est qu'un prétexte et que leur véritable mission est tout autre. Sous les ruines du temple de Salomon sur lesquelles ils ont installé leur commanderie de Jérusalem et dont ils tirent leur nom, serait enfoui un fabuleux trésor. On dit qu'ils le cherchent depuis plus d'un siècle.

— Bof... Tu sais, moi, tant que leur épée assure ma protection, ils peuvent chercher tout ce qu'ils veulent. De toute façon, qu'ils le trouvent ou pas, leur trésor, je n'en profiterai pas. Quoi qu'il arrive en ce bas monde, les riches s'enrichissent et les pauvres, eux, restent pauvres.

Tout à coup, un cri de terreur retentit dans la nuit.

— Un démon! s'écria une femme, la voix tremblante. Jésus-Christ, Notre-Seigneur, protégez-nous! C'est un démon!

Le cri de la pèlerine engendra aussitôt une grande commotion. Tirés de leur stupeur, les voyageurs se levèrent, alarmés, à la recherche du démon qui venait d'apparaître parmi eux. Une fureur incontrôlable s'empara des gens les plus proches de la scène. À l'unisson, hommes, femmes et enfants ramassèrent leurs bâtons de pèlerin et s'élancèrent vers la source de l'agitation. Au son de cris sauvages, bâtons et coups de pied s'abattirent sur une victime encerclée.

— *VADE RETRO, SATANAS*[1] ! Retourne en enfer, démon ! vociféraient les uns en frappant furieusement.

— Sorcier ! Suppôt de Satan ! Garol[2] ! rageaient d'autres.

En un rien de temps, des mains puissantes saisirent par les bras un garçon aux cheveux noirs vêtu d'une tunique sale tachée de sang séché et de sandales. Sonné, il se rendit à peine compte qu'on lui liait les mains derrière le dos.

— Du bois ! Vite ! ordonna un homme, la voix pleine d'une frénésie meurtrière. Trouvez du bois pour faire un bûcher !

— Oui ! Brûlons ce sorcier ! hurla une femme. Brûlons-le !

— Au bûcher, le sorcier ! cria une vieille.

— Au bûcher ! Au bûcher ! reprit la foule.

L'hystérie se répandit à la vitesse de l'éclair et on traîna la victime titubante vers un bûcher de fortune qu'on avait érigé à la hâte à l'aide de balles de foin réservées aux chevaux et

---

1. En latin : Arrière, Satan !
2. Loup-garou.

de morceaux de bois ramassés çà et là. Un homme alluma le tout avec une brindille et, lorsque les flammes furent bien hautes, quatre pèlerins empoignèrent l'intrus par les bras et les pieds. Ils prirent un élan et allaient le jeter dans le feu lorsque deux templiers, alertés par le bruit, accoururent en dégainant leur épée.

— Que se passe-t-il ici? tonna l'un d'eux. Laissez-le et écartez-vous immédiatement, bande de grippemauds[1]!

La foule en colère obtempéra, craintive. Recroquevillé sur le sol, le garçon secouait la tête pour reprendre ses esprits.

— C'est un démon! Un sorcier, frère sergent Bérenger! déclara la femme qui avait crié la première en tendant un index tremblant d'indignation et de terreur en direction du jeune inconnu. L'instant d'avant, il n'était pas là et le moment d'après, il y était. Il est sorti tout droit de la muraille comme une apparition! Je le jure sur la tête de feu mon père! C'est un démon de l'enfer envoyé par les Sarrasins, c'est sûr!

— Je l'ai vu, moi aussi, renchérit un vieil homme en faisant sans cesse le signe de la croix. Ce que dit la joliette[2] est vrai!

---

1. Hypocrites.
2. Jolie.

— Calmez-vous, vilains! s'écria le frère sergent Bérenger avec autorité. Regardez-le! A-t-on idée de s'apeurer ainsi à la vue d'un gringalet sans armes?

Le templier s'approcha de la jeune victime, défit ses liens et lui tendit la main pour l'aider à se relever. Haletant, un filet de sang coulant d'une plaie à la racine de ses cheveux, un œil tuméfié et la lèvre enflée, le garçon promena sur les gens rassemblés un regard rempli de crainte en se frottant les poignets.

Le frère Bérenger le toisa et haussa un sourcil, l'air amusé, en rengainant son épée d'un geste habile.

— Il n'a pas l'air très fringant, votre démon, dit-il à la foule en ricanant. Vous l'avez si bien bastonné qu'il en a mal partout, le pauvre! Allez, dégagez, au nom de l'ordre du Temple! Il n'y a plus rien à voir ici!

À contrecœur, les pèlerins obéirent et s'éloignèrent en grommelant.

— Et éteignez-moi ça! ajouta le templier en désignant le bûcher.

— Je vous le dis, moi, que c'est un démon, ronchonna la femme qui avait surpris le jeune étranger, insatisfaite de la tournure des événements. Je l'ai vu apparaître. Que Dieu me foudroie à l'instant si je mens…

✦

Dans un tunnel sombre et poussiéreux, plusieurs toises[1] sous la terre, un homme en sueur interrompit brusquement son travail et déposa sa lourde pioche. Il se redressa et, pour se donner une contenance, s'essuya le front avec sa manche détrempée et maculée de terre. Il avait ressenti quelque chose, il en était certain. Le temps avait semblé fluctuer. Mais l'impression était disparue aussi vite qu'elle s'était manifestée.

Il observa à la dérobée l'armature de fortune érigée par le maçon musulman. Elle paraissait solide, mais il ne s'y fiait pas. À une telle profondeur sous terre, le poids qu'elle devait supporter était énorme et, déjà, elle s'était écroulée plus d'une fois. Trop souvent à son goût. Peut-être avait-il simplement senti une vibration annonciatrice d'un effondrement prochain ? Sa gorge se serra à la seule idée d'être enfoui sous des masses de terre, de pierre et de ruines. Mourir si près du but, emmuré à jamais tout près de l'objet de sa convoitise. Quelle ironie !

Troublé, l'homme se remit à l'ouvrage avant que les autres ne remarquent son oisiveté et ne lui en fassent le reproche. La règle de l'ordre

---

1. Une toise vaut 1,95 mètre.

des Templiers était claire : le travail était une vertu. Il ne devait surtout pas l'oublier, au risque de subir les punitions d'usage.

Bientôt, il atteindrait ce qu'il recherchait.

✦

Dans une misérable chaumière mal éclairée, un autre homme, très vieux, était penché au-dessus d'un bol en terre cuite rempli d'eau. Le front plissé par la concentration, les yeux mi-clos, le dos voûté par l'âge, il observait la scène qu'il y avait fait apparaître. Ce qu'il voyait était la réalisation de ses espoirs les plus fous. Alors que la mort approchait et qu'il avait commencé à désespérer, le *Mishpat* enfin était arrivé. Il avait vu de ses yeux vu une porte se matérialiser dans l'air et s'ouvrir. Le garçon en était sorti.

Il attendait depuis si longtemps qu'il arrivait à peine à le croire. Mais jamais la magie ne lui avait fait défaut. La vision était sans équivoque. Bientôt, avec l'aide du *Mishpat* et du dieu d'Israël, le Mal qui se terrait depuis si longtemps à Jérusalem serait détruit. Le Bien y serait établi pour l'éternité. Satisfait, le vieil homme agita des mains déformées au-dessus de l'eau en marmonnant une incantation. L'image disparut. Il vida le bol sur le sol et le remit sur la table. Puis il s'agenouilla et remercia Dieu avec ferveur d'avoir bien voulu récompenser sa fidélité et sa patience.

Maintenant, il devait attendre l'occasion d'entrer en contact avec le *Mishpat*. Il avait la foi. En temps opportun, Dieu la lui indiquerait.

◆

Lorsque le calme fut revenu, le frère sergent Bérenger s'approcha du garçon qui avait causé une telle frayeur aux pèlerins.

— Qui es-tu ? demanda-t-il en le regardant de haut.

Sans réfléchir, Manaïl prononça son nom dans la langue de Babylone.

— Maurin de l'Isle, répondit-il en réalisant qu'il parlait la langue de ce *kan*.

Le templier l'examina, l'air un peu sceptique. Son regard s'arrêta longuement sur sa tunique, où se mêlaient le sang frais causé par les coups de bâton et celui d'Ashurat, déjà séché.

— Ventre-Dieu ! Tu as bien étrange allure, jeune homme, déclara-t-il, un peu méfiant. Tu n'es pas de France comme les autres pèlerins, toi. D'où viens-tu, au juste, ainsi accoutré ? De Castille[1], peut-être ?

---

1. Espagne.

— Oui, c'est ça, de Castille, dit Manaïl, trop heureux de se faire suggérer une réponse acceptable. J'arrive de Castille.

À son grand étonnement, le garçon constata que les mots qui sortaient de sa bouche lui étaient étrangers mais qu'il les comprenait parfaitement. Les paroles que maître Ashurat avait prononcées dans le temple du Temps lui revinrent en tête : *Cet endroit ne fait pas que nous transporter dans d'autres* kan. *J'ignore comment mais, en le faisant, il nous transforme. Lorsque je suis arrivé à Babylone, je comprenais parfaitement la langue que les gens parlaient.*

— Et comment t'es-tu retrouvé à te faire chapeler[1] par ces manants ?

Manaïl hésita. Durant les brèves secondes qu'il avait passées à observer son nouvel environnement avant d'être remarqué, il avait déterminé que ces gens étaient des voyageurs. Il tenta de formuler une réponse crédible.

— Je... J'ai été attaqué voilà quelques jours. Des voyous m'ont détroussé et laissé pour mort. Lorsque je me suis réveillé, j'étais seul. Depuis ce temps, je cherche à rejoindre le groupe. Heureusement, j'ai réussi à retrouver mon chemin. J'imagine que la dame à qui j'ai

---

1. Frapper.

fait si peur ne m'a pas vu venir… supposa-t-il en haussant les épaules.

— Hmmm… À te voir, on dirait que tu t'es bien défendu, rétorqua le templier en toisant une fois de plus les taches sur sa tunique. De quoi avaient l'air tes agresseurs ?

— Je l'ignore. Il faisait nuit noire…

— Des estropiats[1], sans doute.

Le templier inspira profondément et considéra Manaïl pendant un court instant. Puis il parut prendre une décision.

— Tu ne peux pas rester seul ici. Aussitôt que j'aurai le dos tourné, ces illuminés vont se jeter sur toi de nouveau. Suis-moi, ordonna-t-il d'un ton qui excluait toute réplique.

---

1. Bandits.

LES HARDES DU MORT

Manaïl et le frère Bérenger traversèrent le camp, zigzaguant entre les feux, enjambant les pèlerins endormis. Le garçon aperçut un groupe de tentes, un peu à l'écart des autres, où un autre templier, vêtu lui aussi d'un manteau blanc à croix rouge, montait la garde.

— Frère Guillaume, appela son guide.

— Oui, frère sergent Bérenger ? dit l'autre en se retournant.

Le soldat lui rapporta ce qui venait de se passer un peu plus loin.

— Où a-t-on déposé le corps de l'écuyer du frère Enguerrand ? demanda-t-il ensuite.

— Par là-bas, indiqua le frère Guillaume en désignant un endroit un peu à l'écart.

— Dans l'état où il est, il ne protestera pas trop fort si on l'enterre tout nu, qu'en penses-tu ?

— Je ne crois pas, non, frère sergent, répondit le frère Guillaume en s'esclaffant.

Le frère Bérenger montra Manaïl de la tête.

— Très bien. Avec ton autorisation, je vais chercher une défroque[1] pour ce jeune homme.

— Retourne à ton poste, frère sergent. Je vais y voir moi-même. Je vais aussi le décrasser un peu. Mordiable ! C'est qu'il est malpropre, ce meschin[2] !

Le frère Guillaume ramassa une outre remplie d'eau qui traînait sur le sol, fit quelques pas puis s'arrêta.

— Alors, tu viens, gamin ? dit-il en faisant un signe brusque de la main. Je n'ai pas que ça à faire, moi !

— Tout de suite, sire, répondit Manaïl en s'empressant derrière l'homme.

D'un pas décidé, le frère Guillaume traversa les feux de camp en contournant les gens qui étaient attroupés autour des flammes. Une fois à l'écart des groupes de pèlerins, il s'arrêta devant une forme recouverte d'un vieux linceul sale et la désigna de la main.

— Eudes, l'écuyer du frère Enguerrand, déclara-t-il. Il est mort voilà quelques heures. Nous espérions qu'il puisse survivre jusqu'à demain pour le confier aux chevaliers de l'Hôpital de Saint-Jean-de-Jérusalem[3], mais

---

1. Vêtement que l'on ne porte plus.
2. Jeune garçon.
3. Les Hospitaliers.

Dieu l'a voulu autrement. Le pauvre a trépassé aux portes de Jérusalem après des mois de marche. Il sera enterré dans l'enceinte de la templerie lorsque nous serons dans la ville. Il doit être encore tiède.

Le templier se croisa les bras sur la poitrine et attendit. Voyant que Manaïl ne bougeait pas, il s'impatienta.

— Qu'est-ce que tu attends ? demanda-t-il avec brusquerie. Tu peux bien entrer tout nu dans Jérusalem si ça te chante. Moi, ça m'est égal.

— Que voulez-vous que je fasse ? s'enquit Manaïl, interdit.

— Que tu prennes ses vêtements, pardieu !

Le frère Guillaume posa l'outre près de lui avant de faire demi-tour pour repartir.

— Et lave-toi un peu. Tu empestes ! cria-t-il sans regarder derrière lui.

Seul dans le noir, Manaïl frissonna. « Tous ces cadavres… songea-t-il. Cela va-t-il jamais cesser ? » Mais il devait pouvoir passer inaperçu dans ce *kan* et, pour cela, il lui fallait des vêtements plus appropriés. Ses frusques babyloniennes ne convenaient pas et lui avaient déjà causé des problèmes avec les pèlerins. À contrecœur, il s'agenouilla près du linceul et le souleva par un coin. Il découvrit le corps d'un garçon à peine plus âgé que lui. Il semblait dormir d'un sommeil paisible dont il s'éveillerait bientôt.

Tous les morts des derniers jours se mirent à défiler dans son esprit : ceux de la bataille sur la muraille de Babylone ; ceux parmi lesquels il s'était caché et avait dormi pour éviter la capture ; le terrible Pylus ; Ashurat, son maître… Il en avait tant vu qu'il finirait par devenir insensible. La mort semblait régner sur le passage de l'Élu.

Manaïl laissa échapper un petit rire dépité et secoua la tête. Les derniers jours… Comme si le temps avait encore un sens pour lui. Voilà quelques heures à peine, il se trouvait à Babylone, envahie par Cyrus II, roi des Perses, et il était maintenant devant Jérusalem, une ville dont il ignorait tout, à une époque qu'il ne connaissait pas plus. Combien de temps séparait ces deux *kan* ? Dix années ? Cent ? Mille ? Plus encore ? Il n'en savait absolument rien. Il se sentait égaré, dépassé.

Il caressa distraitement la mystérieuse bague à pierre noire qui possédait le pouvoir d'ouvrir les portes du temple du Temps. Il venait à peine de la retirer du doigt encore tiède de son maître mort et voilà qu'il se retrouvait déjà dans un autre *kan*. Il ne se sentait pas prêt et était loin d'être remis de ses émotions. Cet objet était le seul lien qui lui restait avec son *kan* à lui. Une fois de plus, le souvenir d'Ashurat lui redonna du courage. Il se rappela aussi les paroles de la déesse Ishtar : *Le kan vers lequel tu t'en vas n'est pas le mien. Mais j'aurai d'autres incarnations. Ne crains rien, Élu. Je ne t'abandonnerai jamais.* Il éprouva un certain soulagement à l'idée que, tôt ou tard, Ishtar viendrait de nouveau vers lui. Il redressa la tête et inspira profondément. Ce n'était pas en s'apitoyant sur lui-même qu'il parviendrait à mener à bien sa mission. Qu'il le veuille ou non, il était l'Élu d'Ishtar. Il ne comprenait pas encore tout à fait ce que cela signifiait mais, après les événements récents, il eût été vain de le nier.

Avec une détermination renouvelée, Manaïl se fit violence. Il empoigna le cadavre du jeune écuyer par les épaules et l'assit. Déjà, la rigidité s'était emparée du corps, qui émit un craquement sinistre en se repliant. Il défit la ceinture, passa la pèlerine par-dessus la tête du mort puis retira le pourpoint et la chemise avant de s'attaquer aux chausses. Il enleva d'abord la droite, puis tira sur la gauche. Une affreuse odeur de putréfaction s'en dégagea aussitôt. Manaïl contint difficilement un haut-le-cœur. Le pied du mort était noir et gonflé. Le talon était traversé par une profonde entaille aux contours rongés par la pourriture. L'enflure du pied avait remonté jusqu'au genou et la jambe était parsemée d'ulcères recouverts de pus séché. Surmontant son dégoût et évitant de toucher la chair putride, Manaïl retira finalement la culotte du mort.

— Il s'est coupé sur une pierre, le pauvre garçon, fit une voix profonde derrière lui.

Manaïl sursauta et se retourna, prêt à se défendre. À quelques toises de lui se tenait un templier. D'une stature impressionnante, il était vêtu, comme les autres, de ce curieux habit de métal recouvert d'un manteau blanc à croix rouge. Il dégageait une impression d'assurance et de grande force physique. Seule sa longue barbe rousse parsemée de gris pouvait laisser deviner qu'il approchait de la quarantaine. Manaïl ne doutait pas que, si cet homme était appelé à se défendre, il devait être un adversaire redoutable. La paume appuyée sur le manche de son épée, solidement campé sur ses jambes, il souriait d'un air espiègle.

— La plaie s'est infectée et la gangrène lui a entrepris le pied, puis la jambe, poursuivit l'homme. Ce brave Eudes a été très courageux. Il a gagné son ciel, le pauvre. Il a marché des semaines sans se plaindre, jusqu'à son dernier souffle. Il était un bon et fidèle écuyer. En ce moment même, il est certainement assis à la droite de Dieu au paradis.

— Ah, bon..., répondit bêtement Manaïl.

L'homme s'avança vers lui et lui tendit la main droite.

— Je suis le frère Enguerrand de Montségur. Et toi ?

Manaïl se leva et, interdit, tendit la main à son tour sans trop savoir ce que le geste signifiait. Le frère Enguerrand lui saisit l'avant-bras et le serra avec chaleur en le regardant droit dans les yeux.

— Maurin... Maurin de l'Isle, balbutia Manaïl.

— Accoutre-toi, Maurin de l'Isle, dit le templier en désignant du menton la pile de vêtements. Tu vas attraper la carnade[1]. Les nuits sont fraîches dans ces contrées et l'air y est rempli d'animalcules[2] qui causent d'étranges maladies.

Manaïl retira ses sandales. Il enfila sans trop de difficultés la culotte puis se retourna pour retirer sa tunique afin d'éviter que l'homme ne remarque le pentagramme inversé qu'on lui avait tailladé sur la poitrine. Il revêtit ensuite le pourpoint, la pèlerine et attacha enfin la ceinture à sa taille. Surmontant sa répugnance, il prit les chausses, puis l'outre déposée par le frère Guillaume. Il versa un peu d'eau dans chacune, les agita pour nettoyer le

---

1. Mort.
2. Des petits êtres porteurs de maladies.

pus et chasser un peu l'odeur, puis les vida. Il mit les chausses encore mouillées. Il se sentit coincé dans ces vêtements épais et lourds, lui qui avait passé sa vie légèrement vêtu sous le chaud soleil de Babylone. Puis il versa l'eau de l'outre pour se décrasser les mains et le visage. Mais il se sentait toujours sale.

Le frère Enguerrand examina les blessures sur le visage du garçon et fit une moue dubitative.

— Te voilà bien estropié, mon ami, dit-il en haussant les sourcils. Suis-moi. Nous allons nous occuper de ça.

Manaïl lui emboîta le pas.

L'ÉCUYER

Lorsqu'ils furent assis près d'un feu de camp, le templier imbiba un linge avec de l'eau tirée de l'outre de cuir et lava les blessures qu'avaient laissées les coups de bâton sur le visage et les membres du jeune homme. Une fois propres, il les examina avec une délicatesse surprenante pour un tel colosse.

— Ce ne sont que des coupures superficielles et quelques bosses, dit-il. Tu en seras quitte pour un solide mal de tête. On m'a rapporté les frasques des romiers[1]. Parfois, ces bonnes gens me désespèrent. On a tant seriné aux chrétiens que Satan est parmi nous qu'ils finissent par voir des démons n'importe où, les pauvres.

Tout en parlant, il fouilla dans une sacoche de cuir et en retira une petite fiole qui contenait une substance graisseuse. Il y trempa le

---

1. Pèlerins.

bout du doigt et en étendit une couche épaisse sur une coupure plus profonde que les autres que Manaïl avait à la racine des cheveux.

— Voilà, conclut-il, satisfait. Comme ça, tu guériras vite.

— Ça sent mauvais ! s'écria le garçon en plissant le nez.

— Je sais, pouffa le templier. Mais c'est très efficace.

Le templier passa le reste de la soirée à ressasser une multitude d'anecdotes qui remontaient à ses années de jeune chevalier, relatant ses exploits et les victoires de son ordre auxquelles il avait participé. Manaïl ne comprenait pas toujours ce qu'il racontait, mais était fasciné par les aventures de cet homme que l'âge n'avait apparemment pas ralenti. Il était aussi soulagé de ne pas avoir à parler de lui-même. Il avait la conviction que l'attitude du sympathique templier changerait du tout au tout s'il lui annonçait qu'il venait tout droit de Babylone. Ces gens semblaient avoir le bûcher facile…

La nuit s'avançait lorsque le frère Enguerrand, l'air songeur, dévisagea Manaïl à la lumière du feu de camp.

— Hmmm, dit-il en frottant son menton barbu. Tu me plais bien, mon garçon. Tu es un vil roturier, cela se voit, mais tu as bon cœur et tu es intelligent. Puis tu ne manques pas de

courage. Je ne connais pas beaucoup de gar-
çons de ton âge qui auraient lutté ainsi contre
des brigands et qui auraient accepté de désha-
biller un cadavre dans le noir. Surtout qu'il
commençait à puer, le bougre ! En plus, tu sais
écouter. Pour quiconque me fréquente, c'est
une précieuse qualité !

Le frère Enguerrand se tut et observa
longuement Manaïl. Il poursuivit.

— Je crois que toi et moi pourrions nous
rendre mutuellement service, Maurin de l'Isle,
déclara-t-il. Comme ce pauvre Eudes a eu la
fâcheuse idée de trépasser, je me retrouve
sans écuyer. Et un templier sans écuyer, c'est
comme une ripaille sans bonne chère. Que
dirais-tu de devenir mon écuyer ?

— Moi ?

— Tu vois quelqu'un d'autre ? demanda le
frère Enguerrand, l'air amusé, en regardant
aux alentours.

— Euh… D'accord, acquiesça Manaïl en
haussant les épaules.

— Alors, marché conclu ! s'écria le templier
en appliquant dans le dos de son nouvel
écuyer une claque amicale qui le fit vaciller.

— Euh… hésita Manaïl. Un écuyer, ça fait
quoi ?

Le frère Enguerrand éclata d'un rire
sonore en tenant sa panse à deux mains.

— Tu es un bien étrange oiseau, Maurin de l'Isle ! Pourtant, nous avons plusieurs commanderies dans le royaume de Castille. Tout le monde sait que l'écuyer d'un templier assiste son chevalier au combat, qu'il entretient ses armes et son équipement, et qu'il prend soin de ses trois chevaux. Tu n'as pas peur des chevaux, au moins ?

— Non, pas vraiment… répondit Manaïl, en se souvenant avec horreur des terribles cavaliers perses.

— Allez, viens. Mes chevaux doivent être abreuvés et nourris. Et il n'est pas question que j'entre dans Jérusalem dans l'état où m'a mis cet interminable voyage. Mon écu et mon heaume doivent être astiqués et mes armes, huilées. Et il faut aussi dormir un peu si nous voulons être frais et dispos demain matin.

Manaïl, devenu Maurin de l'Isle, écuyer, suivit le frère Enguerrand. Un peu à l'écart, il aperçut trois chevaux près d'un feu de camp qui s'éteignait. Chacune des montures était équipée d'une selle, d'étriers et d'un mors. Le plus gros cheval était d'un noir de jais et les deux autres étaient blancs. Ils semblaient attendre avec patience qu'on s'occupe d'eux. Ils hennirent à l'unisson à l'arrivée du templier qui leur caressa affectueusement le museau à tour de rôle. Craignant de trahir sa complète ignorance de ces bêtes, Manaïl avança prudemment la main vers le cheval noir qui posa sur lui un regard placide. Il caressa le museau de l'animal du bout des doigts. Aussitôt, le cheval remua et lui poussa la joue avec son museau. Manaïl rit de bon cœur.

— Canaille t'aime bien, on dirait, constata le frère Enguerrand en souriant. C'est une bonne bête. Il me sert avec loyauté depuis des années. Mais je crois qu'il a faim. C'est qu'il est gourmand! Le foin est par là, ajouta-t-il en désignant une charrette un peu plus loin. L'eau est juste à côté.

Pendant que le templier mettait des bouts de bois dans le feu, Manaïl transporta quelques brassées de foin qu'il déposa par terre devant les trois chevaux, qui se mirent à mâchonner tranquillement. Puis il remplit des chaudières d'une eau à l'odeur douteuse qu'il prit dans une outre de peau. En souriant, il caressa la crinière de chacune des bêtes. Tout à coup, ces animaux le fascinaient. Ils étaient si beaux. Ils semblaient si puissants et pourtant si dociles. Seuls leurs cavaliers pouvaient être blâmés pour les horreurs qu'ils commettaient.

Sans prévenir, Canaille releva la tête et lécha le visage de Manaïl avec sa grosse langue rugueuse. Une fois de plus, le garçon éclata de rire et s'essuya.

— Ça fait plaisir de t'entendre rire, mon jeune ami, dit le frère Enguerrand en fixant sur lui un regard qu'on devinait perçant dans la lumière des flammes. Quelque chose me dit que ça ne t'arrive pas très souvent. Tu as eu la vie dure ou je me trompe ?

Manaïl haussa les épaules, mal à l'aise devant la perspicacité du frère.

— J'ai eu une vie comme tout le monde, avec des hauts et des bas...

— Tu es bien jeune pour être seul. Tu n'as pas de famille ? s'enquit le templier en retirant la selle du dos de Canaille.

Le cheval s'ébroua de soulagement.

— Non, répondit Manaïl. J'en avais une, avant. Mon père était bâtisseur. Un grand bâtisseur. Mais il est mort. Ma sœur aussi. J'ignore où est ma mère.

— C'est terrible, s'affligea le frère Enguerrand en déposant la selle près du feu. Tu n'as vraiment personne au monde ?

— J'avais un maître. Mais il est mort, lui aussi, confessa Manaïl d'une voix étouffée par la tristesse infinie qui lui remplit la gorge.

— Un maître ? Tu étais apprenti ? Quel était ton métier ?

— Potier.

— Morbleu ! s'écria le templier. Il ne sera pas dit qu'Enguerrand de Montségur abandonne les gens dans le besoin ! L'ordre des

Templiers deviendra donc ta famille! Lorsque nous serons dans Jérusalem, je t'initierai moi-même. Et puis, je crois que Canaille m'en voudrait terriblement si tu nous abandonnais. On dirait bien qu'il t'a choisi autant que moi.

Le frère Enguerrand se pencha près du feu et ramassa un grand bouclier de bois recouvert de cuir blanc sur lequel apparaissait la même croix rouge que sur son manteau. On aurait dit une grosse larme retournée à l'envers. Il le tendit à Manaïl.

— En attendant, astique bien mon écu. Il doit être propre comme un sou neuf.

Manaïl saisit le lourd objet. Il en avait vu de semblables sur la muraille de Babylone mais jamais d'aussi grands. Le templier prit un paquet formé d'un morceau de cuir retenu par des lacets. Il dénoua les liens et en sortit toute une quincaillerie qu'il laissa choir avec fracas aux pieds de son nouvel écuyer. Manaïl en observa le contenu: une boule de métal recouverte de pics reliée à un manche de bois par une chaîne; une énorme hache au tranchant menaçant; une dague à la pointe acérée coulée dans une seule pièce; une arbalète accompagnée de quelques traits à la pointe aiguisée.

— Lorsque tu auras terminé, tu pourras nettoyer mes armes, ajouta ensuite le frère

Enguerrand en déposant sur le tas sa longue épée et son heaume.

L'air espiègle, il tendit à Manaïl un torchon et une petite fiole d'huile.

— Et assure-toi que tout scintille comme le soleil de midi sur du cristal. Demain, il faut que je sois beau comme un galant lorsque nous entrerons dans Jérusalem !

Le templier s'éloigna et rentra à moitié dans la plus grande des tentes. Il s'arrêta à mi-chemin.

— N'oublie pas de dormir un peu. Nous avons une longue journée devant nous, dit-il avant de disparaître à l'intérieur.

Quelques minutes plus tard, les ronflements tonitruants du frère Enguerrand retentissaient dans la nuit. En soupirant, Manaïl se mit au travail en s'étonnant que l'épouvantable vacarme ne cause pas l'effondrement de la muraille de Jérusalem. Il se demandait comment les autres faisaient pour dormir dans un tel tintamarre. La réponse lui vint aussitôt : ils devaient être aussi épuisés que lui. Résigné, il se mit à frotter.

◆

Lorsque les armes du frère Enguerrand furent parfaitement astiquées, Manaïl se laissa choir sur une couverture près du feu, complètement fourbu. Il allait enfin pouvoir dormir. Demain, il entrerait dans Jérusalem. Le fragment du talisman de Nergal s'y trouvait sans doute, puisque c'était là que la porte du temple du Temps s'était ouverte. Il pourrait se mettre à sa recherche. Il n'avait aucune idée de la façon dont il s'y prendrait, mais il faisait confiance à Ishtar.

À LA RECHERCHE
DE LA PORTE

Dans sa petite cellule dénuée de tout confort, l'homme n'arrivait pas à s'endormir malgré sa fatigue. Il avait creusé sans relâche une partie de la nuit et il lui restait peu de temps pour se reposer. Ses mains étaient remplies d'ampoules que le travail chaque jour renouvelé empêchait de guérir. Les bandages de fortune dont il les recouvrait n'étaient d'aucune efficacité. Mais son but valait bien quelques meurtrissures.

Ce n'était pas la douleur qui le gardait éveillé. Au fil des mois, il avait appris à en faire fi et à profiter des rares moments de repos que la tâche lui laissait. Mais le mauvais pressentiment qui l'avait envahi quelques heures plus tôt ne le quittait pas et lui serrait la gorge. Quelque chose clochait. Un sombre présage, qu'il ne parvenait pas à définir, planait au-dessus de lui et menaçait son succès si proche.

L'homme se tira de sa couche et regarda par la fenêtre. Il faisait encore nuit. Il avait une bonne heure devant lui avant de devoir se rendre à la chapelle pour les matines[1] au cours desquelles il devrait réciter, comme les autres, vingt-six patenôtres[2]. Tourmenté, il revêtit sa cotte de mailles, ses chausses et son manteau, puis boucla sa ceinture de cuir et glissa son épée dans son fourreau. Comme tout le monde, il avait été averti qu'au matin, un groupe de pèlerins, parmi lesquels se trouvait le nouveau commandeur de la cité de Jérusalem, entrerait dans la ville. L'accueil qu'on lui réservait devait avoir la pompe de circonstance et l'apparence de tous les frères devait être impeccable.

C'était lorsque ces gens s'étaient installés aux portes de la cité qu'il avait ressenti l'étrange sensation que quelque chose n'allait pas, que le voile du temps avait été traversé. Y avait-il un lien entre les deux ? Il quitta sa cellule, longea les couloirs du dortoir encore endormi et sortit sans être vu. Du haut de la muraille, il pourrait mieux voir. Peut-être arriverait-il à identifier la source de son inquiétude.

---

1. Les premières prières de la journée, à deux heures du matin en été et quatre heures en hiver.
2. Le *Notre Père*.

✦

Manaïl commençait à somnoler lorsqu'il réalisa que, dans l'agitation qui avait suivi son arrivée dans ce *kan*, il n'avait jamais pu noter par où exactement il y était entré. Si jamais il devait repartir à toute vitesse, serait-il capable de retrouver la porte ? Il geignit intérieurement, se fit violence et rouvrit ses paupières lourdes. Découragé, il s'assit en secouant la tête avec dépit et vérifia que tout le monde dormait autour de lui. Il ne nota aucun mouvement. Les ronflements du frère Enguerrand l'assurèrent que seul un cataclysme parviendrait à tirer le templier de son sommeil. Il se leva et se mit à marcher le long de la muraille, sa bague discrètement tendue devant lui en direction des gros blocs de pierre. Il ne voulait surtout pas se faire remarquer. Il avait reçu assez de coups.

Manaïl circula ainsi pendant quelques minutes. Bientôt, le pentagramme s'illumina d'un bleu glacial au milieu de la mystérieuse pierre noire. Devant lui, tout près de la grande entrée de la muraille, la porte se matérialisa. Le garçon regarda prudemment de chaque côté. Personne ne l'observait. Il couvrit la bague de son autre main. La porte disparut. Satisfait, il ramassa quelques pierres et en fit une petite pyramide. Ainsi, le moment venu, il lui serait facile de retrouver le passage.

Il venait de poser la dernière pierre lorsque la lame d'un couteau s'appuya contre sa gorge.

— Qu'est-ce que tu fais là, toi? murmura une voix derrière lui. Tu veux me flibuster du peu qu'il me reste, sale trousse-gousset?

— Moi? Pas du tout, rétorqua Manaïl, figé sur place. Je me promenais, c'est tout.

L'agresseur le poussa rudement contre la muraille. Le garçon se retourna en frottant sa joue endolorie tout en cachant sa main gauche derrière son dos pour ne pas attirer l'attention sur son infirmité.

— Les templiers ont beau dire le contraire, je t'ai vu, moi, sortir de nulle part, dit l'inconnu en remettant son couteau dans sa ceinture. Si je te revois près d'ici, je t'ouvre le ventre et je jette tes entrailles aux quatre vents, je te le jure!

Manaïl s'enfuit sans demander son reste. Au moins, il avait réussi à marquer l'emplacement de la porte et cet homme semblait n'avoir rien vu. Guidé par les ronflements du frère Enguerrand, il retourna vers l'endroit où il espérait enfin dormir un peu.

✦

Du haut de la muraille, l'homme était stupéfié. Une sentinelle l'avait retardé en exigeant qu'il explique ce qu'il faisait là à cette heure. Il avait raconté qu'il n'avait pas sommeil et qu'il désirait s'assurer que tout était en ordre pour l'entrée du nouveau commandeur. Sceptique, le garde avait haussé les épaules et l'avait laissé monter.

Il était arrivé juste à temps pour voir le garçon se faire apostropher par un pèlerin mécontent près de la muraille. Un gamin qui errait, ce n'était guère extraordinaire. Mais il portait une bague qui n'avait rien d'anodin. La lumière qu'elle produisait lui avait permis de voir son autre main. Elle était palmée.

Il s'empressa de redescendre. Il devait avertir son maître. Tout de suite.

— Eh ! Où vas-tu encore, frère ?

— J'ai… J'ai oublié quelque chose, répondit l'homme. Je suis désolé de t'avoir dérangé, frère Théobald.

Il redescendit deux par deux les barreaux de l'échelle et s'éloigna d'un pas rapide dans le noir. Sur le parapet, le garde l'observa, interdit. « Un drôle de loustic, celui-là », songea-t-il avant de reprendre sa ronde.

✦

Blotti dans la pénombre sur le toit d'un édifice, quelqu'un d'autre observait la scène. Le garçon avait longé la muraille et, comme par magie, une porte était apparue. L'observateur, anxieux, tressaillit. Il ferma les yeux et se remémora en silence la prophétie qu'il avait apprise par cœur sur les genoux de son père. Depuis toujours, dans le plus grand secret, on se la transmettait dans sa famille, de père en fils, sans trop savoir pourquoi. On lui avait dit qu'un jour, il le ferait à son tour. Mais avec le temps, le sens s'en était perdu. Les détenteurs de la prophétie portaient le titre de Mage, mais ignoraient de qui ou de quoi. Tout ce qu'ils savaient, c'était qu'ils devaient veiller sur le trésor du temple de Salomon.

Pendant des années, il n'avait plus repensé à tout cela. Il s'était contenté de travailler dur et d'être un bon maçon, comme son père avant lui. Puis, un soir, le vieil homme mourant l'avait pris à part et, les yeux remplis d'angoisse, lui avait révélé que le temps était venu pour lui d'accomplir sa mission. Le trésor était en danger. Son tour était venu de le protéger.

L'homme avait alors réalisé que la légende du trésor de Salomon et la prophétie étaient autre chose que le fatras incompréhensible qu'il avait imaginé. Et il avait eu peur. Durant les années qui avaient suivi, il avait fait de son mieux pour ralentir les travaux. Il avait émis d'innombrables appels à la prudence, conçu des structures trop fragiles qui s'effondraient d'elles-mêmes et provoqué toutes sortes de détours. Malgré ces délais, les templiers étaient maintenant tout près du but. Et voilà qu'au moment où il était à court de stratagèmes, Allah faisait apparaître ce garçon. L'Élu.

L'angoisse qui étouffait déjà l'homme venait d'augmenter d'un cran. Il devait aider l'Élu. Frissonnant dans le noir, il observa le templier qui descendait de la muraille, l'air pressé. Il le connaissait bien. Il attendit qu'il se soit éloigné, se leva en silence et, ployant presque sous le poids de son devoir, disparut à son tour dans les rues de Jérusalem. Il devait trouver le moyen de parler au nouveau venu.

Dans une chaumière délabrée, quelque part dans Jérusalem, un vieil homme faible et usé par les ans regardait pensivement le bol qu'il venait de vider. Après toutes ces années d'attente, il aurait dû se réjouir. Mais il y avait une ombre au tableau. Le *Mishpat* était en danger. D'autres que le vieux magicien avaient eu connaissance de son arrivée et voulaient l'éliminer. La Bête se cachait au milieu des agneaux. Il devait le protéger coûte que coûte. Il joignit ses mains tremblantes et déformées, et pria.

6

LES NERGALII

Éridou, en l'an 3612 avant notre ère

Les adorateurs de Nergal étaient vêtus de robes sombres dont les capuchons remontés couvraient d'ombre leur visage. Ils se tenaient dans le temple de Nergal. La pièce rectangulaire était étincelante de faste et de richesse. La lumière des torches se reflétait sur le marbre des murs. À l'une des extrémités de la salle se trouvait la statue de Nergal. À l'opposé saillait du mur le grand cercle de pierre. Au centre s'élevait l'autel orné d'or et de pierres précieuses. De chaque côté de l'opulent meuble, des braises rouges crépitèrent dans un brasero.

Avec un mélange de respect et de crainte, les Nergalii cédèrent le passage à Mathupolazzar, qui venait de rabattre son capuchon d'un geste sec. Sans décolérer, il marchait de long en large sur les grandes dalles de

57

pierre parfaitement ajustées qui recouvraient le sol.

— Je suis entouré d'incapables! explosa le grand prêtre de Nergal en gesticulant devant un de ses fidèles. Ce matin, tu m'annonces fièrement que tu sais où se trouve le second fragment et que tu vas me le ramener sous peu. Quelques instants plus tard, te revoilà tout en émoi, mais sans le fragment. Et pourquoi? Parce que tu crains que l'Élu ne soit dans le même *kan* que toi. Comment veux-tu que je sache, moi, s'il s'agit bien de lui? Je ne l'ai jamais vu!

L'homme s'assura de rester à l'écart, les yeux rivés sur le sol. Pour se donner une contenance, il lissa son manteau blanc surmonté d'une croix rouge. Malgré la cotte de mailles dont il était revêtu et la longue épée qui s'appuyait sur sa jambe, il ne se sentait pas tout à fait en sécurité. Il savait trop bien à quel point les colères du grand prêtre étaient imprévisibles.

— Pylus et Arianath pourraient l'identifier, suggéra-t-il enfin, en profitant d'une accalmie dans la tirade de Mathupolazzar. Nous n'avons vraiment aucune nouvelle d'eux?

— Ils sont partis depuis quatre jours, intervint un vieillard à la longue barbe blanche qui se tenait à la droite du grand prêtre. S'ils l'avaient pu, ils seraient revenus quelques minutes après leur départ. Quelques heures, tout au plus, même s'ils avaient passé des décennies dans un autre *kan*. Il leur est certainement arrivé quelque chose...

Une femme entre deux âges enleva son capuchon et découvrit une tête rasée et un visage tatoué. Elle s'approcha de Mathupolazzar et vrilla sur lui des yeux perçants.

— Notre frère a raison, maître. Le gamin a sans doute réussi à échapper à Pylus et Arianath, dit-elle, l'air songeur, en se frottant le menton. Cela signifie qu'il a en sa possession le fragment que détenait Ashurat. S'il est déjà dans le même *kan* que Jubelo, il pourrait en retrouver un deuxième, ce qui ne serait pas de bon augure pour nous...

Frustré, Mathupolazzar se remit à faire les cent pas en tirant sur ses longs cheveux gris.

— Aaagggghhhh! hurla-t-il en se frappant le front à répétition avec les paumes de ses mains. Si seulement je n'étais pas si colérique! Je n'aurais pas dû sacrifier cet abruti de Noroboam. Il était aussi gâteux que répugnant, mais il aurait été capable d'identifier ce maudit garçon, au moins par le son de sa voix, et nous ne serions pas en train de perdre un temps précieux pendant que notre maître Nergal attend de l'autre côté du portail!

La femme réfléchissait, une moue d'incertitude sur les lèvres, puis reprit la parole. Elle s'adressa au Nergali au manteau blanc, qui venait de subir les foudres du maître.

— Jubelo, mon frère, tu es certain que ce garçon avait la main palmée ?

— Oui, affirma l'homme sans hésiter. Je l'ai vue clairement. Et il portait aussi la bague des Mages d'Ishtar, identique à celle que j'ai prise à Hiram.

— *L'Élu se lèvera, rassemblera le talisman et le détruira. Fils d'Uanna, il sera mi-homme, mi-poisson. Fils d'Ishtar, il reniera sa mère. Fils d'un homme, d'une femme et d'un Mage, il sera sans parents. Fils de la Lumière, il portera la marque des Ténèbres. Fils du Bien, il combattra le Mal par le Mal*, récita d'une voix chevrotante et sentencieuse le vieil homme à la droite de Mathupolazzar. Prenons garde, mes frères. La prophétie des Anciens s'accomplit.

— Tais-toi ! s'écria le grand prêtre. Pas besoin de nous réciter cette maudite prophétie ! Elle nous cause assez de soucis comme ça !

— Et sa poitrine ? demanda la femme. Tu l'as aperçue ? Tu as vu la marque qu'y a laissée Noroboam ?

— Non, répondit Jubelo. Il était habillé.

Mathupolazzar s'arrêta.

— Tu es convaincu d'être près du but ? s'enquit-il en se retournant vers l'homme au manteau blanc.

— Oui, maître, confirma celui-ci. Les templiers creusent sous les ruines du temple du roi Salomon depuis plus de cent ans. Précisément là où Hiram a enfoui le fragment deux mille ans plus tôt. Ils auront fait le gros du travail pour moi. Ils l'atteindront bientôt et, comme je fais partie de ceux qui creusent, je serai là pour m'en emparer.

Mathupolazzar se retourna vers les autres. Il avait pris une décision sur la marche à suivre.

— Si le garçon qu'a aperçu Jubelo est bien l'Élu, déclara-t-il à l'assemblée, mieux vaut l'éliminer et lui reprendre le fragment qu'il détient. Si ce n'est pas lui, ce ne sera qu'un garçon de moins et Jubelo pourra toujours récupérer le deuxième fragment. Pendant ce temps, nos frères continueront à chercher les autres.

Le grand prêtre de Nergal reporta son regard sur Jubelo.

— Va et remplis ta mission, adorateur de Nergal, ordonna-t-il.

— Bien, maître, répondit Jubelo en s'inclinant avec respect. Je vais faire en sorte que l'Élu disparaisse au plus vite. Je sais déjà comment procéder.

Jubelo ferma les yeux et écarta les bras. Quelques instants plus tard, il n'était plus à Éridou. Il devait rentrer sans délai. La règle de l'ordre était intraitable : ceux qui s'absentaient des matines étaient condamnés à faire pénitence au pain et à l'eau pendant des semaines. Et à creuser comme il le faisait, Jubelo avait besoin de toutes ses forces. En plus, il avait une transaction importante à conclure.

RENDEZ-VOUS
AVEC UN ASSASSIN

Jérusalem, en l'an de Dieu 1244

Après les prières des matines, les frères étaient tous partis se recoucher. Leur journée ne débuterait vraiment qu'avec le second lever de prime[1]. Ils assisteraient alors à la messe qui durait une heure, avant d'aller voir à leur équipement. Puis viendrait le repas du matin. Jubelo, lui, avait utilisé ce temps pour passer un marché.

Dans la lumière hésitante de l'aube, un petit sac de cuir rempli de pièces changea de main. L'homme qui le reçut le soupesa et le tintement de la monnaie perça le silence de la nuit qui s'achevait. Satisfait, il hocha la tête et l'enfouit dans un repli de sa tunique.

---

1. Cinq heures du matin en été, six heures en hiver.

— N'oublie pas, lui rappela Jubelo. Il ne doit pas avoir le temps de réagir. Il doit mourir sur le coup.

L'homme releva vers son interlocuteur des yeux sans expression et froids comme un tombeau.

— En quatre siècles, la secte des Hashshasin de Syrie n'a encore jamais échoué, répondit-il d'un ton détaché et monocorde qui trahissait une inébranlable assurance. Habituellement, nous préférons le garrot, mais l'arbalète fera l'affaire.

— Je sais, je sais, soupira Jubelo avec agacement. Vous méritez bien votre nom d'Assassins. Assure-toi seulement que ce n'est pas aujourd'hui que surviendra votre premier échec. L'arbalète fera croire que le meurtrier est un templier. Si tu te faisais prendre, tout tomberait à l'eau.

— Ne crains rien, infidèle[1], dit le Syrien avec un mépris non dissimulé. Le seul vrai dieu guidera ma flèche.

— Je n'ai cure de ton dieu tant qu'il sert les plans du mien, rétorqua Jubelo avec un égal dédain.

---

1. Nom péjoratif donné à ceux qui sont perçus comme non fidèles à Dieu. Les chrétiens et les musulmans se qualifiaient mutuellement d'infidèles.

L'Assassin lui jeta un regard haineux mais demeura muet.

— Et rappelle-toi que les Nergalii n'ont qu'à lever le petit doigt pour vous effacer de l'histoire, toi et tes semblables…, ajouta Jubelo d'un ton rempli de sous-entendus.

— Pas besoin de me menacer, répliqua l'Assassin, l'air sombre. Il en sera fait selon ta volonté.

Le Syrien s'éloigna sans rien dire de plus et disparut bientôt dans les rues de Jérusalem, l'arbalète sous sa cape. Jubelo se retira en se frottant les mains de satisfaction. Depuis le moment où il avait adhéré au culte de Nergal, son esprit retors et astucieux, sa détermination et sa capacité à prendre des risques calculés lui avaient valu la confiance de Mathupolazzar et le respect de ses frères. Après qu'Ashurat eut volé le talisman de Nergal, le grand prêtre s'était naturellement tourné vers lui et plusieurs autres parmi ses disciples favoris pour les envoyer dans les *kan*, à la recherche des fragments. Deux mille ans plus tôt, à Jérusalem, Jubelo avait assassiné maître Hiram puis, comme prévu, il y était revenu, mais dans un *kan* ultérieur, pour récupérer le fragment caché par ce maudit Mage sous le temple de Salomon qui n'était plus que ruines. Sous peu, il allait récolter les fruits de son plan audacieux.

Et voilà que la chance lui souriait d'une manière inespérée. Si son hypothèse se vérifiait et que ce garçon était vraiment l'Élu d'Ishtar, il récupérerait bientôt à lui seul deux des cinq fragments du talisman de Nergal. Mathupolazzar le reconnaîtrait à coup sûr comme un des plus grands Nergalii et lui réserverait une place de choix dans le Nouvel Ordre. Ses privilèges et ses plaisirs seraient infinis.

Dans les rues de la ville sainte, l'activité quotidienne reprenait son cours. Les marchands et les artisans étalaient leurs produits, les premiers clients commençaient à arriver pour acheter leurs provisions. Mais aujourd'hui n'était pas une journée comme les autres. Il régnait partout une fébrilité inhabituelle. Jubelo se hâta. Il devait reprendre discrètement sa place parmi les templiers afin d'accueillir le nouveau commandeur de la cité.

AUX PORTES DE LA CITÉ

Lorsque Manaïl s'éveilla, le soleil avait à peine jeté ses premiers rayons sur les vallons sablonneux qui entouraient Jérusalem. La nuit avait été trop courte et tout son corps réclamait du repos à grands cris. Il se demandait encore pourquoi il avait tant travaillé à astiquer les armes du frère Enguerrand. Mais le souriant colosse lui était sympathique et, de toute évidence, il voulait son bien. De plus, depuis qu'Ishtar l'avait lancé malgré lui dans cette folle quête des fragments du talisman de Nergal, il avait compris que le hasard n'existait pas. Son instinct lui disait que le frère Enguerrand ne s'était pas retrouvé sur son chemin par hasard. Il lui assurerait une certaine protection dans ce *kan*. Les templiers, ces étranges guerriers vêtus de métal, jouaient un rôle important dans la ville située derrière la muraille. Il lui serait sans doute plus facile d'entrer dans Jérusalem en compagnie de l'un d'eux. La porte qu'il avait franchie l'avait mené à cet endroit. *Tu dois suivre les fragments un à un, dans l'ordre où ils ont passé les portes,* avait dit Ishtar. C'est donc à Jérusalem que se trouvait ce qu'il cherchait.

Il se leva et se frotta les yeux pour s'assurer qu'il ne rêvait pas. Au-dessus de la haute muraille dont la nuit ne lui avait pas permis de saisir les dimensions, il pouvait entrevoir la ville la plus magnifique, la plus majestueuse qu'il eût jamais vue. À côté, Babylone la grande n'était guère qu'un village. Ses temples au fini de faïence bleue pâlissaient devant les immenses édifices coiffés de dômes recouverts de métal brillant qui reflétait le soleil du matin. Les temples de Jérusalem s'élevaient tous bien plus haut que le grand temple de Mardouk. L'un d'entre eux, plus impressionnant encore que les autres, se terminait par une grande coupole dont Manaïl ne parvenait pas à imaginer comment il se faisait qu'elle ne s'effondrait pas. Le sommet de l'enceinte était parsemé de grandes tours du haut desquelles on devait voir le bout du monde. Et ce n'était là que ce que Manaïl arrivait à apercevoir par-delà la muraille. Mais il en avait déjà le souffle coupé.

— Magnifique, n'est-ce pas? s'exclama le frère Enguerrand derrière lui.

Le templier avait revêtu un manteau blanc immaculé sur lequel la grande croix rouge se détachait avec éclat et le soleil faisait luire sa cotte de mailles des pieds jusqu'au cou. Il se tenait à quelques pas derrière le garçon, le regard fixé sur la ville sainte. Il hochait lentement la tête, une moue d'approbation sur les lèvres. Il posa avec affection ses grosses mains sur les épaules de Manaïl.

— On m'avait dit que je serais émerveillé, reprit le templier d'un ton solennel. Pourtant, même dans mes rêves les plus fous, je n'aurais jamais pu imaginer que la Cité de Dieu puisse être aussi grandiose. Par la Certaine Loi[1], on dirait qu'elle a été construite par le Créateur en personne.

Manaïl se retourna, étonné.

— Vous ne l'aviez jamais vue avant?

— Non, Maurin. C'est la première fois que je mets les pieds en Terre sainte. Toi aussi, je présume.

— Ça, oui… dit Manaïl. Mais je croyais que…

— Que j'accompagnais les pèlerins pour les protéger sur le chemin du retour? Tu n'avais pas tort. C'est la mission première de tous les templiers depuis la fondation de l'ordre par

---

1. Loi de Dieu.

Hugues de Payens et ses huit vaillants chevaliers en l'an de Dieu 1118. Que le Seigneur les bénisse.

Le frère Enguerrand se signa sans quitter Jérusalem du regard.

— Mais il s'agit de mon premier séjour à Jérusalem, reprit-il. Je suis parti de la commanderie de Paris et je me suis joint à mes frères pour faire le voyage. Et ce n'était pas trop tôt. J'appartiens à l'ordre du Temple depuis plus de vingt années et je commençais à craindre de mourir avant de pouvoir fouler le sol de la Terre Sainte.

— 1118... C'est l'année dans laquelle nous nous trouvons ? demanda Manaïl.

Le frère Enguerrand tourna vivement la tête en direction son écuyer.

— Mais non, répondit-il, interloqué. Nous sommes en l'an de Dieu 1244, sous le règne de Sa Majesté Très Chrétienne Louis IX, roi de France.

— Vous savez combien d'années se sont écoulées depuis le règne de Nabonidus, roi de Babylone ?

— Euh... Non. Je l'ignore. Nabo... qui ?

— Le roi Nabuchodonosor II alors ? insista Manaïl en se souvenant de l'ancien roi de Babylone dont Ashurat lui avait déjà parlé.

— Ah, celui-là, je le connais ! dit le templier en levant un index ganté de métal. La Bible parle de lui. Il a conquis Jérusalem voilà... Attends que je calcule... Ça doit faire... Un peu moins de deux mille deux cents ans. Oui, c'est ça. Mais pourquoi tu me demandes ça, au juste, Maurin ? Et comment tu connais ce personnage, toi, un simple apprenti potier ?

Abasourdi, Manaïl ignora la question du templier. Plus de deux millénaires... Tout à coup, la tête lui tournait. Tout ce qu'il connaissait, tout ce qui lui était familier n'était sans doute plus que poussière depuis des siècles.

Autour d'eux, une excitation palpable s'empara des pèlerins qui s'étaient massés devant Jérusalem et qui attendaient impatiemment d'entrer. Du sommet de la muraille, une voix s'éleva, autoritaire.

— Qui va là ? Identifiez-vous ou encourez la colère de l'ordre du Temple !

— Ah ! Il n'est pas trop tôt ! maugréa le frère Enguerrand. Je commençais à croire que ces bougres de fils de cochons s'étaient endormis durant les matines et qu'ils allaient ronfler toute la journée, moi !

Les autres templiers se turent et posèrent d'un même mouvement leur regard sur le frère Enguerrand. Le colosse se dressa de toute sa hauteur, s'avança de quelques pas, bomba le torse et répondit au nom du groupe.

— Enguerrand de Montségur, frère hospitalier de l'ordre des Pauvres Chevaliers du

Christ et du Temple de Salomon et nouveau commandeur de la cité de Jérusalem, mandé Outremer[1] par Armand de Périgord, grand maître de l'ordre des Templiers! tonna-t-il d'une voix puissante et assurée. Ce pauvre soldat du Christ, *très* patient, se présente aux portes de la cité pour y assumer son commandement et il attend en se tournant les pouces depuis près d'une heure! Tu te décides à sortir la tête du tonneau de vin où elle est enfoncée et à lui ouvrir au lieu de lui faire croquer le marmot[2] ?! Coquebert! Maroufle!

— Bi... bienvenue... à Jé... Jérusalem, commandeur! bégaya le garde du haut de la muraille. Que Dieu bé... bénisse votre arrivée.

Le frère Enguerrand s'emporta.

— Il faudrait d'abord que je finisse par entrer, sombre baguenaud[3]! Mais qui m'a fichu cette bande de sottards? C'est avec des empotés pareils que je dois défendre Jérusalem, moi? Je devrais tous les faire cingler et fornir[4]!

De l'autre côté de la muraille, un grand remue-ménage s'éleva, ponctué d'ordres

---

1. Outremer était le nom que l'on donnait aux États latins d'Orient.
2. Attendre longtemps.
3. Niais.
4. Fouetter et exécuter.

urgents. Bouche bée, Manaïl regarda le frère Enguerrand.

— Vous êtes le... le chef des templiers ? demanda-t-il.

— Le chef ? Mais non, voyons ! Seul maître Armand de Périgord porte ce titre. Je ne suis qu'un humble serviteur de la milice du Christ, désigné pour prendre charge de la commanderie de Jérusalem.

— Ah... fit Manaïl, impressionné.

Le commandeur avait repris son calme aussi vite qu'il l'avait perdu.

— Ces ânes ont eu suffisamment peur. Le moment est venu d'entrer en grand bobant[1], tu ne crois pas ? suggéra-t-il, l'œil pétillant d'espièglerie. Allez, écuyer ! Apporte-moi mon écu et mes armes.

Pendant que Manaïl allait chercher les lourds objets, le templier monta Canaille, qui s'ébroua aussitôt et releva la tête comme s'il était fier de son cavalier.

Le frère Enguerrand examina une à une les armes, puis le bouclier, soigneusement astiqués.

— Beau travail, remarqua-t-il en admirant son épée au soleil. Vraiment très bien. Morbleu, je crois bien m'être trouvé un écuyer doué.

---

1. En grande pompe.

Avec son écu scintillant sur le bras gauche, sa masse d'armes et sa hache accrochées à sa selle, son épée et sa dague étincelantes à la ceinture et son manteau immaculé, le frère Enguerrand avait fière allure. Sa stature paraissait encore plus imposante. Manaïl était rempli d'admiration.

— Maurin? Ho! Tu es dans la lune.

— Quoi? fit le garçon en sursautant.

— Mon heaume. Tu ne veux quand même pas que le nouveau commandeur de la cité de Jérusalem entre tête nue dans la ville sainte? J'aurais l'air d'un quémand!

Toujours éberlué, Manaïl lui tendit le heaume de métal rutilant. Le lourd couvre-chef n'avait rien à voir avec les casques de cuir durci que portaient les soldats de Babylone. Le frère Enguerrand remonta sa cotte de mailles sur sa tête et mit le heaume sans hésiter. La languette de métal qui lui protégeait le nez lui donnait un air menaçant qui devait glacer le sang dans les veines de ses ennemis.

La lourde porte Saint-Étienne, tirée par plusieurs templiers, s'ébranla et ses ferrures grincèrent. Durant l'attente, le frère Enguerrand ne cessa de maugréer avec une énergie renouvelée en vouant à la géhenne tous les empotés qui, il n'en doutait pas, prenaient leur temps seulement pour l'embêter.

— Nous sommes prêts ? demanda-t-il au frère sergent Bérenger.

— Absolument, répondit ce dernier, pareillement casqué.

— Alors, en avant !

Le frère Enguerrand allait se mettre en marche lorsqu'il parut hésiter et se retourna vers le frère sergent.

— Tu m'obligerais fort, frère Bérenger, si tu acceptais de me servir de guide. Je serais déçu si ma première impression de la ville sainte n'était pas à la hauteur de sa réputation. Après tout, c'est ici que vécut Notre-Seigneur Jésus-Christ.

Le modeste frère sergent osait à peine croire que le commandeur lui demandait d'entrer à ses côtés.

— Ce sera un grand honneur, commandeur, dit-il en avançant sa monture aux côtés de celle du frère Enguerrand.

Lorsque la porte fut enfin ouverte, le commandeur de la cité de Jérusalem éperonna délicatement Canaille, qui avança au trot. Le convoi s'ébranla.

✦

Sur le toit d'un édifice, le Hashshasin banda l'arbalète puis tâta du doigt la pointe du trait. Elle était bien aiguisée. Ce projectile traverserait sans difficulté l'armure la plus épaisse. Le gamin n'avait aucune chance.

Il appuya son coude contre le parapet et logea la crosse de l'arme dans le creux de son épaule. Il ne restait plus qu'à attendre.

9

JÉRUSALEM LA MAGNIFIQUE

L a porte Saint-Étienne était surmontée d'une arche de pierre au faîte de laquelle un sceau était gravé. Il représentait deux templiers, écu au bras et lance vers l'avant, galopant sur le même cheval. Autour étaient inscrits les mots *SIGILLUM MILITUM XPISTI*[1]. Par-dessus le sceau était suspendu un étendard rectangulaire moitié noir et moitié blanc orné d'une croix rouge, sur lequel on avait brodé les mots *NON NOBIS, DOMINE, SED NOMINI TUO DA GLORIAM*[2]. Le frère Enguerrand se retourna vers Manaïl et désigna l'étendard.

— Le Baucéant, dit-il fièrement. C'est notre gonfanon[3].

À titre d'écuyer personnel du commandeur, Manaïl marchait à sa suite, la bride des

---

1. En latin : Sceau des chevaliers du Christ.
2. En latin : Non pour nous, Seigneur, mais pour que Ton Nom en ait la gloire.
3. Bannière de l'ordre des Templiers.

deux chevaux blancs bien en main. Au passage, il observa le sceau et l'étendard au-dessus de la porte. Derrière lui se trouvaient les six autres templiers, menés par le frère Guillaume. Tous avaient revêtu un manteau propre et leurs armes étincelaient dans la lumière du matin. Dans le plus grand désordre venaient ensuite les pèlerins qui se bousculaient à qui mieux mieux, pressés de pénétrer dans la ville sainte, unique raison de leur long et pénible voyage.

Lorsque le dernier pèlerin fut dans Jérusalem, on referma la porte Saint-Étienne et deux lourdes poutres furent placées en travers pour empêcher qu'elle ne soit enfoncée par un éventuel assaillant. Les pèlerins firent la file pour payer à un des templiers la pièce d'or qui leur donnait le droit d'entrer dans la ville sainte. Lorsque ce fut fait, tous s'engagèrent dans la rue qui portait aussi le nom de Saint-Étienne et qui traversait les quartiers musulman et chrétien ainsi que le marché. C'était là, annonça le frère sergent Bérenger, que se situait la commanderie de l'ordre.

Au premier rang du convoi, le frère Enguerrand s'émerveillait sans retenue en écoutant Bérenger lui faire une description méticuleuse des lieux et le mettre au courant de leurs particularités stratégiques.

— En plus de celle de la porte Saint-Étienne, Jérusalem compte trois autres tours de guet : celles de Sion, de David et de la tannerie. Elles sont reliées entre elles par des créneaux et des tourelles. Chacune donne sur un côté de la cité et permet de voir venir de loin tout envahisseur.

— Ma foi, je plains l'ennemi qui osera s'attaquer à de telles fortifications, dit le frère Enguerrand, vivement impressionné.

— En tout, Jérusalem compte huit portes, toutes fortifiées : la porte Saint-Étienne, la porte de Jaffa, la porte Neuve, la porte de Damas, la porte d'Hérode, la porte Dorée, la porte de Sion et… la porte des Immondices.

— Ventre-Dieu ! Voilà un nom bien peu flatteur ! s'exclama le frère Enguerrand.

— Et elle le mérite bien. C'est là que l'on entasse toutes les ordures de la cité pour qu'elles soient emportées loin d'ici, dans la vallée de la Géhenne, où elles sont brûlées.

— Ma foi, c'est tout de même plus pratique que de les laisser se gâter au grand air comme on le fait à Paris, dit le commandeur. Pas étonnant que ça sente si bon, ici. Il faudrait faire de même chez nous !

— Vous voyez, là-bas, sur votre gauche, ce bâtiment coiffé d'un dôme doré ? s'enquit Bérenger en désignant une magnifique construction à deux étages tapissée de céramique aux teintes bleutées et surmontée d'un dôme couvert d'or. C'est le Dôme du rocher. Selon les musulmans, c'est de là que leur prophète, Mahomet, est monté au ciel. Comme il se doit, nous en avons fait une église chrétienne.

— Comme il se doit..., approuva le commandeur.

Le frère Enguerrand écarquillait les yeux tel un enfant, comme s'il craignait que toutes les splendeurs qu'il voyait ne parviennent pas à y entrer.

— Là-bas, plus loin, se trouve le Saint-Sépulcre, qui renferme le tombeau de Jésus-Christ, notre Sauveur, continua le frère Bérenger. Vous en apercevez le dôme. D'ici quelques années, l'église qu'on y construit sera achevée et fera la gloire de notre ordre.

Éberlué, le frère Enguerrand traça plusieurs fois le signe de la croix sur sa poitrine. Manaïl remarqua qu'autour de lui, tous les templiers et les pèlerins faisaient de même avec une ferveur peu commune. Se demandant ce que ce geste pouvait bien vouloir dire, il comprit néanmoins qu'il était d'une grande valeur pour ces gens et, maladroitement, les imita.

Les impressionnants bâtiments décrits par Bérenger étaient éparpillés au milieu d'habitations de toutes sortes qui se pressaient en désordre les unes contre les autres. Partout, les rues grouillaient de monde et, pendant un instant, Manaïl revit avec nostalgie l'activité de Babylone. Dans le quartier musulman, les habitants toisaient les templiers avec méfiance. Mais lorsque le convoi fit son entrée dans le quartier chrétien, les chevaliers furent accueillis en héros. Les gens se pressaient pour toucher le bas de leur manteau. D'autres s'inclinaient devant eux. D'autres encore demandaient leur bénédiction, ce que le frère Enguerrand leur accorda avec un plaisir évident.

Le cortège emprunta la rue des Herbes où, expliqua le frère Bérenger, étaient concentrés les marchands d'épices venus de partout en Orient. Manaïl fut particulièrement frappé par un marchand haut de taille et à la peau noire comme l'ébène. Vêtu d'une longue robe de soie bleue et d'un turban de la même couleur, il offrait à ses clients de la muscade, du safran et de la cardamome. De riches arômes exotiques s'entremêlaient, au grand étonnement de Manaïl pour qui la plupart de ces odeurs étaient étrangères.

— Ah! Tous ces étourdissants effluves de la Création! s'exclama le frère Enguerrand dans un élan poétique. Rendons grâce à Dieu pour ses merveilles!

On tourna ensuite dans la rue de la Draperie, où les drapiers offraient des tissus luxueux que Manaïl n'aurait jamais pu imaginer.

Tout à coup, un homme surgit d'entre deux étals de marchands et s'élança vers Manaïl. Petit, les jambes arquées, les pieds nus, une tunique sale pour tout vêtement, il s'empara de la main avec laquelle le garçon tenait les rênes des chevaux du commandeur et tenta de le tirer à lui. Une des montures prit peur et se dressa sur ses jambes arrière en hennissant, ses sabots avant décrivant de dangereux moulinets dans les airs. Dans son énervement, la bête heurta l'homme et l'envoya choir violemment sur le dos. Manaïl empoigna les brides à deux mains et calma l'animal de son mieux.

— Doux. Allez. Doux... dit-il d'une voix neutre pour amadouer le cheval.

Au même moment, le frère Guillaume et un autre templier quittèrent le convoi, descendirent de leur monture, saisirent fermement l'homme encore sonné, le relevèrent et l'entraînèrent vers le bord de la rue. Les pieds traînant à terre, l'importun vrilla son regard sur Manaïl.

— Le Mage doit te parler, Élu! cria-t-il en se débattant, avant d'être lancé sans ménagement sur le sol.

— Ne t'en fais pas, jeune homme, rassura le frère Guillaume en reprenant sa place derrière Manaïl. Ces mendiants sont une véritable peste.

Manaïl ne répondit pas. Cet homme avait mentionné un Mage et l'avait appelé Élu. Réalisant que, contre toute attente, il tenait déjà la preuve qu'un fragment se trouvait bien dans ce *kan*, il tourna la tête dans l'espoir d'apercevoir son interlocuteur, mais déjà, il avait disparu, enveloppé par la foule qui se massait le long du parcours. À la fois troublé et soulagé, il reporta son attention sur le convoi.

Le frère Bérenger, qui ne s'était aperçu de rien, fit obliquer le convoi vers la rue du Temple, au bout de laquelle se tenait la commanderie.

— Nous voilà enfin chez nous! s'exclamat-il avec un contentement évident.

Devant eux s'élevait une imposante enceinte de pierre derrière laquelle une multitude de bâtiments étaient entassés. La double porte s'ouvrit sans que personne ait à en faire la demande et le frère Enguerrand entra en compagnie du frère sergent Bérenger, suivi du reste du convoi. Ils défilèrent devant plus de cent chevaliers et sergents de l'ordre des Templiers au garde-à-vous, qui formaient une haie d'honneur de chaque côté de la rue, droits comme des chênes, l'épée devant le visage. Plus loin, le turcopolier se tenait à la tête de la cavalerie d'une centaine d'hommes qu'il commandait. Par la suite venaient le gonfanonier et tous les écuyers dont il était responsable.

— Ma foi, mais c'est gigantesque! s'écria avec ravissement le frère Enguerrand en essayant de tout regarder en même temps. Une vraie ville dans la ville!

— Assez, oui, répondit fièrement son subalterne. Voici le dortoir où nous dormons, et le réfectoire où nous mangeons. Et là, ce sont les magasins. On y conserve les armes, les armures et les harnais. C'est là, aussi, que travaille le forgeron. Là-bas, c'est la draperie où nous gardons nos tissus, avec lesquels les frères parementiers fabriquent nos manteaux. Là, c'est la cordonnerie. Et dans ce magasin-ci, on conserve le vin et on fait cuire le pain. Et là, c'est la chavestrerie, où le frère sellier fabrique les selles et les courroies. Plus loin, au fond, se trouve l'infirmerie.

— Pouah! lança soudain le frère Enguerrand, incommodé, en portant à son nez sa main gantée de fer. Mais d'où vient cette odeur épouvantable? Mordieu! Quelqu'un a-t-il ouvert les portes de l'enfer?

— Ah... fit le frère Bérenger, amusé. Ça, c'est la porcherie... Juste à côté, il y a le poulailler, la bergerie et le potager.

— Seigneur... Quel affront à l'odorat! ronchonna le commandeur.

— Le vieux bâtiment, là, à l'extrême gauche, au sommet de la petite colline, est l'endroit où logeaient nos fondateurs au siècle dernier, continua Bérenger dont la puanteur ambiante ne modérait en rien l'enthousiasme. En dessous se trouvent les écuries du roi Salomon. Nous utilisons aujourd'hui les deux niveaux pour loger plus de deux mille chevaux ou mille cinq cents chameaux, selon les besoins.

— Des chameaux ? Vraiment ? s'étonna le commandeur avec un dédain visible.

— Dans ces contrées sablonneuses, ils sont souvent plus pratiques que les chevaux, commandeur.

— On ne me prendra jamais assis sur une de ces bêtes !

— Rassurez-vous. On s'y fait.

Le frère Enguerrand se contenta de marmonner qu'il préférait assister tout nu à une messe dite par Sa Sainteté le pape Innocent IV en personne que d'être vu sur une de ces créatures.

Le convoi poursuivit son chemin et le frère Bérenger désigna avec une fierté non dissimulée des écuries dont certaines parties semblaient très anciennes. Au même moment, Manaïl ressentit une douleur intense lui traverser la poitrine. Jamais de sa vie il n'avait éprouvé une souffrance aussi paralysante. Le souffle coupé, il hoqueta. Avec effort, il réussit à prendre quelques profondes inspirations et la sensation s'estompa. Ébranlé, le visage livide, il secoua la tête et se concentra à nouveau sur le discours du templier.

— Je n'ai sans doute pas à vous apprendre que, selon la légende, les écuries sont tout ce qui reste du temple de Salomon, roi d'Israël, dont notre ordre tire son nom, reprit le frère Bérenger.

— Ça alors, s'émerveilla le frère Enguerrand. Deux mille ans et elles sont toujours debout... Non mais, vous vous rendez compte ? C'est presque une éternité !

✦

Sur le toit d'un édifice à deux étages qui surplombait l'intérieur de la templerie, le Hashshasin retint sa respiration et accrut la pression de son index sur la détente de son arme. Il avait repéré sa cible. Le carreau[1] de l'arbalète visait le cœur de Manaïl.

_____

1. Le projectile lancé par une arbalète.

LE SACRIFICE DU FRÈRE GUILLAUME

Le convoi s'immobilisa devant un bâtiment de pierre octogonal au toit surmonté d'une croix de métal. Le frère Enguerrand descendit de cheval et s'arrêta devant la modeste construction. Les mains sur les hanches, il l'admira en souriant.

— Ah! Quel bonheur de trouver Outremer une bonne vieille chapelle templière! s'exclamat-il. Je vois maintenant d'où vient l'inspiration pour celle que nos maçons sont en train de construire au Temple de Paris.

Il se retourna vers le frère Bérenger.

— Avant d'aller m'installer dans mon hostel[1], j'aimerais prendre quelques instants pour remercier la Vierge Marie, saint Jean-Baptiste et sainte Marie-Madeleine. Après tout, nous voilà tous saufs dans la ville sainte après un

---

1. Les appartements privés du commandeur de la cité.

long et périlleux voyage. Cela mérite quelques dévotions.

— Tout à fait, commandeur, acquiesça Bérenger avec déférence.

— Et mille mercis pour ta savante visite de Jérusalem, frère Bérenger. Ce fut un réel plaisir.

— Tout l'honneur fut pour moi, commandeur.

Le frère Enguerrand repéra parmi les templiers au garde-à-vous le commandeur des chevaliers, qui serait son officier en second à Jérusalem. Il l'appela et l'homme accourut.

— Vois à ce que tout le monde soit correctement hébergé, lui ordonna-t-il en désignant du menton les pèlerins qui s'étaient arrêtés à sa suite.

— À vos ordres, commandeur, répondit l'officier.

Le commandeur des chevaliers s'adressa aux templiers.

— Pied à terre, tout le monde! lança-t-il d'une voix ferme.

À l'unisson, ils s'exécutèrent avec discipline et se mirent à leur tour au garde-à-vous, la main sur le pommeau de leur épée. Même les montures à leurs côtés semblaient s'être mises en position. Voyant les frères dans cette attitude, Manaïl s'imagina qu'il s'agissait de la manière normale de se tenir en cette circonstance. Il se mit maladroitement au garde-à-vous, ce qui déclencha un éclat de rire général.

— Eh, mes frères, regardez-moi ce jeune champion ! On dirait qu'il a déjà gagné ses éperons ! s'esclaffa un templier derrière lui.

— Un peu plus et il partirait au combat tout de suite ! ajouta un autre.

— Assurément, il va se battre d'estoc et de taille[1] ! cria un troisième.

— Les Sarrasins vont demander grâce à la vue d'un tel guerrier ! renchérit un autre.

— Cessez vos gorges chaudes ! les somma le commandeur de la cité. C'est de mon écuyer que vous vous gaussez ainsi !

Honteux, Manaïl se sentit rougir jusqu'aux oreilles. Alors que les rires s'estompaient un peu autour de lui, son attention fut attirée par un mouvement sur sa droite. Un homme se tenait sur le toit d'un bâtiment. Le soleil était derrière lui mais, même à contre-jour, il était facile de distinguer sa silhouette au-dessus de l'enceinte de la templerie. Intrigué, le garçon l'observa plus attentivement. Il était dans la position familière d'un archer. Il semblait tenir une arme — une arbalète semblable à celle qu'il avait astiquée la nuit précédente. S'agissait-il

---

1. Se battre avec acharnement en portant tous les coups possibles.

d'une sentinelle ? Mais alors pourquoi était-il
seul ? Un arbalestier solitaire ne pouvait pas
faire grand-chose en cas d'attaque. Et pourquoi
pointait-il son arme vers l'intérieur de la cité ?

Pendant que Manaïl s'interrogeait, l'éclat
du soleil sur du métal scintilla devant la
silhouette. Aussitôt, il comprit ce qui allait se
produire. Sa dernière heure était arrivée. On
n'échappait pas à un projectile qui venait
d'être lancé avec la puissance d'une arbalète.
Dans une seconde, deux tout au plus, la flèche
aurait franchi la distance qui la séparait de lui
et le transpercerait. C'en serait fini de sa
mission. Il aurait échoué. Son cœur se serra
d'angoisse et une peur intense l'envahit. Désespéré, il invoqua l'aide de son vieux maître.

✦

Hagard, les mains tremblantes autour du
bol rempli d'eau, le vieil homme laissa échapper un gémissement plaintif. Le *Mishpat* allait
recevoir un carreau d'arbalète en plein cœur.
Sa mort assurerait le triomphe du Mal pour
des siècles ou peut-être même pour l'éternité.

À la hâte, il récita une puissante incantation destinée à protéger le *Mishpat*. À sa
grande surprise, elle ne fut d'aucun effet. Une
magie inconnue, plus puissante encore que la
sienne, venait de se manifester. Le vieillard

n'aurait su dire si elle était bénéfique ou maléfique. Elle lui semblait tenir des deux à la fois. Confusément, il comprit qu'elle émanait du *Mishpat* lui-même. Ce garçon était vraiment l'envoyé de Dieu.

✦

Autour de Manaïl, le monde se mit à tourner au ralenti. Il reconnut l'étrange sensation qu'il avait déjà ressentie à Babylone, lorsque des gens avaient tenté de le battre et qu'il leur avait échappé. Il avait éprouvé la même lorsqu'il avait expérimenté son pouvoir en compagnie d'Ashurat, et encore quand il avait sauvé Athropos d'une mort certaine au pied de la muraille de Babylone. Bien malgré lui, le pouvoir mal connu que lui avait révélé son maître se manifestait de nouveau. Il vit le carreau d'arbalète s'éloigner du mystérieux archer et se rapprocher de plus en plus lentement. Il eut le temps de remarquer comment la lumière du soleil faisait étinceler la pointe de métal. Le projectile approcha, approcha encore, et s'immobilisa à un empan[1] du cœur de Manaïl, qui lâcha un profond soupir de soulagement.

---

1. La distance entre le pouce et l'index.

Son répit fut de courte durée, car Ishtar lui réservait un cruel dilemme. Autour de lui, les templiers et les pèlerins étaient figés en pleine action. Le frère Enguerrand était en train de se diriger vers la chapelle. Le commandeur des chevaliers criait un ordre en s'accompagnant d'un grand geste de la main. Derrière Manaïl, le frère Guillaume, les mains sur la panse, la tête renversée vers l'arrière, riait encore à gorge déployée de son garde-à-vous maladroit. Plus loin, les autres templiers, qui avaient réussi à calmer leur fou rire, le regardaient d'un œil amusé. Les pèlerins, eux, étaient immobilisés dans les positions les plus variées.

Sachant qu'il disposait de peu de temps, Manaïl reporta son attention sur le projectile. Au même moment, celui-ci se mit à reculer, d'abord lentement, puis de plus en plus rapidement vers son point d'origine. Étonné, il observa le phénomène. Jamais encore il n'avait vu le temps se dérouler à rebours. Il devait s'écarter sans tarder pour éviter d'être dans la trajectoire du carreau lorsque le temps reprendrait son cours normal. Mais s'il le faisait, constata-t-il avec horreur, le carreau atteindrait le frère Guillaume en pleine poitrine. Jamais Manaïl ne pourrait franchir les quelques pas qui le séparaient du templier pour le pousser de côté.

Déchiré entre le désir de sauver sa propre vie et le besoin de préserver celle d'un autre, Manaïl vit que le projectile avait terminé son mouvement de recul. Il se reposa doucement sur l'arbalète qu'il venait de quitter. Le doigt qui avait appuyé sur la détente s'abaissa à nouveau. Derrière lui, le frère Guillaume s'était redressé et recommençait à rire de bon cœur. Manaïl avait beau être l'Élu d'Ishtar, cela lui donnait-il le droit de sauver sa vie au détriment de celle d'un innocent ? Était-il si important que son existence avait une valeur plus grande que celle des autres ?

Au loin, l'arbalète relâcha son projectile qui fila vers Manaïl. Son instinct de survie prit le dessus. Au tout dernier instant, il se jeta sur le côté. Il sentit le carreau lui lacérer l'épaule gauche au passage et s'affaissa sur le sol. Derrière lui, un bruit sec retentit. Il se retourna.

— Oumph... fit le frère Guillaume.

Le templier regardait le court fût de bois qui sortait de sa poitrine bardée de fer, en plein centre de la croix rouge. La bouche ouverte, les yeux écarquillés, il semblait totalement stupéfait. Du sang surgit de la blessure par jets et un ruisselet bourgogne s'écoula le long du manteau. Le frère Guillaume releva la tête et adressa aux autres templiers un regard rempli d'incompréhension, vacilla et s'affaissa lourdement sur le ventre. De son dos émergeait la pointe ensanglantée du carreau d'arbalète qui l'avait traversé.

Pendant un moment, un silence médusé régna sur la scène. Soldats et pèlerins étaient figés d'horreur et de surprise. Puis le commandeur des chevaliers lança un cri de ralliement d'une voix forte.

— Baucéant, mes frères ! hurla-t-il à tue-tête. Baucéant !

Secouant leur torpeur, des templiers formèrent aussitôt un cercle de protection autour du frère Enguerrand et, malgré ses protestations énergiques, le poussèrent sans ménagement à l'intérieur de la chapelle afin de le soustraire à d'autres projectiles éventuels.

Pendant ce temps, le frère sergent Bérenger s'accroupit auprès de Manaïl et examina sa blessure.

— Il est là-haut, sur le toit ! dit faiblement le garçon, toujours étendu sur le sol, en montrant du doigt le point d'origine du carreau.

Bérenger se releva aussitôt, le visage déformé par la fureur guerrière.

— À moi, templiers ! s'écria-t-il en brandissant son épée. À moi ! Sus à l'assassin ! Baucéant !

Sans attendre, une vingtaine de frères soldats, Bérenger en tête, enfourchèrent leurs montures et, l'épée à la main, s'élancèrent en direction du bâtiment d'où le carreau était parti. En quelques secondes, il ne resta d'eux que l'épais nuage de poussière soulevé par le galop de leurs chevaux. Mais déjà, l'arbalestier avait disparu du sommet.

D'autres templiers, parmi ceux qui étaient restés, se portèrent au secours du frère Guillaume. L'un d'eux le retourna et pencha son oreille contre sa bouche, puis posa la main sur sa poitrine.

— Il est mourant, fit une voix grave près de lui.

— Qu'on aille quérir le frère aumônier, vite! manda un troisième.

Manaïl tenta de se relever pour se joindre à eux, mais sa tête se mit à tourner et il retomba au sol. Il ne sentait plus son bras. Avec détachement, il remarqua une grande flaque de sang qui s'accumulait sur le sol. Venait-elle de son corps? Pourtant, il ne ressentait aucune douleur.

L'image des templiers devint floue et leurs voix semblèrent provenir de toujours plus loin. Avec indifférence, Manaïl se dit qu'il était peut-être en train de trépasser. Tant mieux. Il irait rejoindre sa famille et maître Ashurat au Royaume d'En-Bas. Puis tout devint noir.

✦

Jubelo rageait. Malgré toutes ses belles promesses, cet abruti de Syrien avait échoué. Le gamin était toujours vivant. Un templier avait été atteint à sa place. Les autres ne cesseraient de chercher le coupable jusqu'à ce qu'ils l'aient trouvé. Et s'ils l'attrapaient, Jubelo ne doutait nullement qu'ils parviendraient à le faire parler. Il devrait voir à l'éliminer dès que l'occasion se présenterait.

Au moins, il avait appris quelque chose d'important. L'étrange sensation qu'il avait ressentie sous terre la veille s'était reproduite. Cette fois-ci, Jubelo en était certain. Pendant un bref moment, le temps avait été altéré. Le carreau aurait dû atteindre le garçon en plein cœur mais, comme par magie, il avait cessé de se trouver sur sa trajectoire. L'instant d'avant il y était et l'instant d'après, il n'y était plus. Aucun être humain ne possédait de tels réflexes.

Au moins, cette déconfiture avait une conséquence positive : Jubelo avait désormais la certitude que ce jeune étranger était bien l'Élu d'Ishtar dont Noroboam avait annoncé la présence aux Nergalii. Il devait en informer Mathupolazzar sans délai.

Le Nergali profita de la confusion qui régnait pour s'éloigner en douce et se réfugier entre deux bâtiments. De là, il pourrait quitter ce *kan* et y revenir sans être remarqué. Il inspira profondément, ferma les yeux et étendit les bras, conjurant les Pouvoirs Interdits. Au bout de quelques secondes, il ressentit la vibration familière de l'air autour de lui. Encore un instant et il aurait la sensation que l'on gommait son corps de ce *kan* pour ensuite le faire réapparaître dans un autre, comme on effaçait l'écriture sur une tablette d'argile encore humide pour y tracer de nouveaux caractères.

— Mon frère! s'écria tout à coup une voix derrière lui.

Jubelo s'interrompit et rouvrit les yeux, l'air confus.

— Oui, frère Clotaire?

— Ce n'est pas le moment de prier, bougre de chameau! gronda le frère aumônier, qui était sorti de la chapelle en entendant le brouhaha. Le frère Guillaume est à l'agonie et l'écuyer du commandeur est blessé. Cours chercher un frère hospitalier! Et vite! Moi, je vais administrer le *VIATICUM*[1] au mourant.

En un instant, Jubelo analysa la situation. La règle des Templiers était claire à ce sujet: le secours à un frère était une obligation.

---

1. En latin: Le viatique ou la communion donnée aux mourants.

Celui qui la négligeait pouvait se voir retirer son habit. Si aucun frère hospitalier n'accourait auprès du garçon, on saurait qui n'avait pas rempli la mission que lui avait confiée le frère Clotaire. Il devait par-dessus tout éviter de se faire remarquer. Son travail dans ce *kan* n'était pas terminé. S'il était mis en pénitence ou expulsé de l'ordre, il ne pourrait rien accomplir. Pire encore, il devrait subir la colère de Mathupolazzar.

— Tout de suite, frère Clotaire, répondit-il en inclinant la tête vers l'aumônier.

Il s'élança au pas de course vers l'infirmerie tandis que, derrière lui, l'aumônier se précipitait vers le groupe qui entourait le frère Guillaume. Mathupolazzar allait devoir attendre un peu. De toute façon, se dit Jubelo, il avait tout le temps à sa disposition.

Au loin, il entendit l'aumônier réciter les derniers sacrements.

— *REQUIESCAT IN PACE*[1], murmura le Nergali avec le sourire.

---

1. En latin : Qu'il repose en paix.

11

LA MISSION DU FRÈRE
ENGUERRAND

L a nuit était tombée depuis longtemps, mais le frère Enguerrand de Montségur n'avait pas sommeil. Assis à sa table de travail dans son hostel, il était préoccupé. Au mieux, il n'avait que quelques mois pour accomplir la mission sacrée que lui avait confiée le grand maître de l'ordre, le très vénérable Armand de Périgord. Au pire, il disposait tout au plus de quelques semaines.

Depuis la première croisade en 1096, tout n'avait été que conquêtes, défaites et reconquêtes. Des villes étaient prises par les croisés, puis reprises par les Turcs, puis conquises de nouveau ou échangées contre d'autres au gré des alliances et des traités de paix. Et le prix en vies humaines avait été élevé, presque obscène.

En ce début d'année 1244, l'avenir paraissait sombre. Selon les informations obtenues par les Templiers, le sultan d'Égypte, As-Salih

Ayoub, s'apprêtait à attaquer Jérusalem. Le grand maître lui-même se trouvait dans la région de Gaza, où il tentait d'organiser la résistance qu'opposerait une coalition de templiers, de chevaliers de l'Hôpital de Saint-Jean-de-Jérusalem et de frères de la Maison Teutonique de Sainte-Marie-de-Jérusalem[1] à l'arrivée prochaine de l'ennemi. Mais personne ne se berçait d'illusions. Quelques milliers de moines soldats et de croisés ne pourraient jamais endiguer le raz-de-marée musulman qui s'annonçait. Malgré la compétence et la détermination évidente des troupes templières, le commandeur savait que la ville sainte n'était pas suffisamment bien défendue pour résister à un assaut solide. Attaquée, elle tomberait. La Terre sainte était en voie d'être perdue. Peut-être pour toujours.

Pour le frère Enguerrand, le temps pressait. La défense de Jérusalem n'était qu'un prétexte. Seul importait le trésor qu'elle cachait en son sein. Après plus d'un siècle de recherches et de fouilles inlassables marquées par d'innombrables reculs, l'ordre des Templiers touchait enfin au but. Il allait bientôt exhumer le légendaire trésor du roi Salomon. La mission du frère Enguerrand était à la fois simple et

---

1. Les chevaliers Teutoniques.

100

immense : il devait s'assurer que ce trésor serait transféré en secret à la commanderie de Paris avant que la ville sainte ne tombe aux mains des Turcs.

Bien sûr, plus que tous les autres ordres de moines soldats, les Templiers avaient profité des croisades. Le modeste ordre fondé voilà plus d'un siècle était devenu riche et puissant. Il possédait plus d'espèces sonnantes et trébuchantes[1] que les rois eux-mêmes. À leur arrivée à Jérusalem en 1118, le fondateur, Hugues de Payens, et ses huit compagnons avaient formulé une étrange requête au roi de Jérusalem Baudouin II : ils désiraient s'établir sur le mont Sion, là où se trouvaient les ruines du temple de Salomon. Perplexe, le roi leur avait accordé ce qu'ils demandaient en échange de leur promesse de protéger les pèlerins en Terre sainte. Mais les neuf chevaliers s'étaient surtout affairés à fouiller les vestiges millénaires qui se trouvaient sous les écuries. Au fil de leurs travaux, ils en avaient extrait cent quarante huit tonnes d'or et d'argent.

Les Templiers s'étaient enrichis, leur influence avait crû et leurs rangs avaient grossi.

---

1. Des pièces d'or et d'argent dont le son indique une forte proportion de métaux précieux et dont on détermine le poids à l'aide d'une balance appelée *trébuchet*.

Leurs exploits guerriers étaient devenus légendaires. Ils contrôlaient des ports de mer et des flottes marchandes qui parcouraient l'Orient et l'Occident. Ils étaient devenus des commerçants autant que des soldats. Richissimes, ils étaient les principaux banquiers de l'Europe tout entière. Le pape et tous les rois avaient envers eux des dettes si importantes qu'ils ne parviendraient jamais à les rembourser.

Mais la richesse n'était pas ce qu'ils cherchaient. Il y avait beaucoup plus encore dans les ruines du temple. Cependant, malgré un siècle d'efforts, l'ordre n'avait pas encore trouvé le véritable trésor de Salomon, celui qui valait davantage que tout l'or de l'univers. Selon la légende, le roi d'Israël avait fait construire le temple voilà plus de deux mille ans pour y abriter, logées dans l'Arche d'Alliance, les Tables de la Loi que Dieu lui-même avait jadis données à Moïse. C'étaient ces objets mythiques et fabuleux que les Templiers convoitaient.

Si elles existaient vraiment, les Tables de la Loi seraient la preuve irréfutable que le dieu des chrétiens était le seul vrai Dieu. Aucune autre religion ne posséderait des Lois écrites de la main divine. Il suffirait de les brandir aux yeux des chrétiens et la ferveur religieuse de l'Occident serait multipliée par cent. Les croisés seraient si nombreux que les musulmans ne pourraient pas leur résister. Au lieu d'être l'objet d'éternelles campagnes militaires à l'issue incertaine, la possession de la Terre sainte deviendrait une formalité pour la chrétienté, avec l'ordre des Pauvres Chevaliers du Christ et du Temple de Salomon à sa tête. La seule vraie religion dominerait le monde, comme il se doit. Ainsi, la position de l'ordre serait assurée pour toujours. Sa puissance serait absolue.

Les Templiers devaient trouver le trésor de Salomon. Sans la puissance qu'ils en tireraient, leurs ennemis finiraient tôt ou tard par les abattre. Déjà, le pape Innocent IV hésitait à collaborer avec eux et leur mettait des bâtons dans les roues à la moindre occasion. Louis IX, roi de France, se méfiait d'eux, lui aussi. Si l'ordre montrait le moindre signe de vulnérabilité, tous ceux qui lui devaient de l'argent ou qui jalousaient son influence fondraient sur lui comme des hyènes.

Le frère Enguerrand tapota distraitement la table du bout de ses gros doigts boudinés et soupira. Les événements inattendus qui avaient marqué son entrée dans Jérusalem confirmaient ses appréhensions. Quelqu'un avait assassiné un de ses frères. Mais le trait d'arbalète avait-il touché sa véritable cible? N'était-ce pas plutôt lui-même qu'on visait? Quelqu'un connaissait-il sa véritable mission et cherchait-il à l'empêcher de la mener à bien ? Quelqu'un qui, comme eux, voulait s'emparer du trésor de Salomon ? Pourtant, depuis la fondation de l'ordre, le secret avait toujours été partagé par les neuf officiers les plus haut placés seulement. Le frère Enguerrand frissonna à la pensée qu'une vipère couvait peut-être au sein de l'ordre.

Le commandeur de la cité de Jérusalem poussa de nouveau un soupir et se frotta les yeux avec lassitude. Malgré l'énergie débordante dont Dieu l'avait doté, l'âge commençait à se faire sentir. Il devait dormir. Il défit son ceinturon, posa ses armes sur la table et s'étendit tout habillé sur son lit. Lorsque les matines sonnèrent, le sommeil n'était toujours pas venu.

LES PLAIES DE L'ÉLU

*M*anaïl *se tenait dans une pièce sombre où régnait une répugnante puanteur. Il était attaché sur le dos et avait beau se débattre, il était incapable de se libérer. Le visage fendu par un sourire édenté, les chairs rongées par la lèpre, Noroboam l'Araméen était penché au-dessus de lui, un couteau à la main. Ses yeux aveugles brillaient d'un cruel amusement. Il riait de ce rire dément qui avait tant terrorisé le garçon.*

— L'Élu est tout pfenaud!

Noroboam prit la main gauche de Manaïl et s'amusa à en écarter les doigts pour tâter les membranes qui les reliaient.

— Il a pfeur, le pfetit pfoisson, s'esclaffa le repoussant vieillard. Pfoisson, pfoisson, pfoisson!

Le vieux Nergali approcha le couteau de la poitrine de Manaïl. Le garçon sentit la lame pénétrer dans sa chair.

— *Oh! Regardez-moi tout ce sang! s'exclama le lépreux. On va faire un beau dessin! Une belle étoile!*

Un chœur invisible de voix masculines résonna, lugubre, dans la pièce.

— L'Élu se lèvera, rassemblera le talisman et le détruira. Fils d'Uanna, il sera mi-homme, mi-poisson. Fils d'Ishtar, il reniera sa mère. Fils d'un homme, d'une femme et d'un Mage, il sera sans parents. Fils de la Lumière, il portera la marque des Ténèbres. Fils du Bien, il combattra le Mal par le Mal.

Derrière Noroboam apparut un templier, les bras croisés sur son manteau blanc, l'air menaçant. Son heaume cachait son visage, mais ses yeux étaient remplis de haine.

— *Baucéant! s'écria-t-il en tirant son épée.*

Il frappa un grand coup et la lame traversa le cou de Noroboam. La tête du vieillard malfaisant roula sur le sol.

— *Pfoisson! ricana la tête en fixant sur Manaïl un regard amusé. Pfoisson! Pfoisson! Pfoisson!*

✦

Manaïl s'éveilla en hurlant et tenta de s'asseoir. Une grosse main se posa fermement sur sa poitrine et l'en empêcha. Il se mit aussitôt à se débattre comme un diable, convaincu

que son rêve se poursuivait et que Noroboam
allait encore le taillader.

— Allons, allons, Maurin, dit la voix profonde du frère Enguerrand. Mais reste calme,
voyons! Tu vas aggraver ta blessure.

— Commandeur? Où suis-je? demanda
faiblement Manaïl en s'immobilisant, le regard
éperdu. Qu'est-il arrivé?

— Bon! Voilà qui est mieux! grogna le
templier. Tu es à l'infirmerie. Un carreau
d'arbalète t'a ouvert l'épaule sur un doigt de
profondeur. Tu as perdu beaucoup de sang. Tu
as été sans connaissance pendant toute la
journée et toute la nuit.

Le garçon demeura un moment hébété.
Les souvenirs lui revenaient par bribes. Il
n'était pas à Babylone. Des édifices magnifi-
ques. L'immense templerie avec ses nombreux
bâtiments. La chapelle octogonale. Un projectile qui se dirigeait vers lui à toute vitesse. Le
sol qui se rapprochait de son visage. Un choc.
Un grognement de surprise. Un templier qu'on
tentait de soigner.

Il fit mine de lever le bras gauche pour se
passer la main sur le visage. Une vive douleur
lui transperça l'épaule gauche.

— Aïe! s'écria-t-il.

— Vraiment… grommela le frère Enguerrand, exaspéré. Tu le fais exprès ou quoi? Je

viens tout juste de te dire que tu es estropié, garnement! Tu aimes douloir[1], on dirait...

Manaïl grimaça. De puissants élancements lui traversaient l'épaule. Il tourna la tête et écarta sa chemise. Une longue coupure traversait le dessus de son épaule. Quelqu'un l'avait refermée en la cousant avec du gros fil. On avait badigeonné le tout d'un épais onguent jaunâtre à l'odeur suspecte.

— Je t'ai recousu moi-même avec mes doigts de fée! dit fièrement le frère Enguerrand en agitant de façon ridicule des doigts gros comme les branches d'un arbre. C'est du beau travail, non?

— Vous? demanda Manaïl, un peu inquiet.

— Mais bien sûr, pardi! tonna le templier, un sourire espiègle au visage. Le commandeur de la cité de Jérusalem est aussi le frère hospitalier en chef, figure-toi!

— Mais... pourquoi m'avoir fait... ça? s'enquit le garçon, interdit, en désignant avec dégoût sa blessure grossièrement rabibochée.

— Il faut refermer une plaie si on veut éviter que la mort ne s'y mette. Souviens-toi du pied de ce pauvre Eudes. Si cet étourdi avait eu deux écus de cervelle, il m'aurait dit qu'il était blessé. Je l'aurais recousu de la même manière et il serait encore là pour s'en

---

1. Souffrir.

plaindre. Évidemment, ce ne sera jamais très joli à regarder, mais bon... Un vrai guerrier doit porter fièrement quelques cicatrices!

Manaïl toucha l'onguent du bout des doigts, le sentit et plissa le nez.

— Encore cette graisse qui pue?

— C'est un onguent à base d'herbes exotiques. Un secret des Turcs. En plus d'être des guerriers de premier calibre, ces coquins sont de redoutables médecins. Je sais, ça empeste comme les pieds fourchus de Lucifer plantés dans la chiure, mais c'est drôlement efficace. Avec ça, la plaie sera vite refermée.

Manaïl était maintenant tout à fait réveillé.

— Le frère Guillaume? demanda-t-il, anxieux. Est-il vivant?

Le frère Enguerrand baissa la tête, soupira et se signa.

— Non, répondit-il. Le carreau lui a transpercé le cœur. Le frère aumônier a tout juste eu le temps de lui administrer les derniers sacrements. Mais je ne suis pas inquiet pour ce brave homme: Dieu l'a assurément déjà accueilli dans son paradis, où l'attendaient tous ses frères tombés au combat.

Manaïl ne dit rien. Il ferma les yeux et soupira. En choisissant de s'écarter de la trajectoire de la flèche, il avait donc causé la mort du frère Guillaume. Jusqu'à la fin de ses jours, il l'aurait sur la conscience, comme toutes les autres. Une fois encore, il maudit intérieurement cette mission qu'il n'avait pas demandée et qui le forçait à faire tant de gestes terribles.

— Allons, Maurin, reprit le commandeur en voyant l'ombre de colère recouvrir le visage de son écuyer. Il ne faut pas te faire trop de mauvais sang. Sa disparition est regrettable, certes, mais, pour les templiers, la mort violente est presque inévitable et nous l'acceptons comme la fatalité. Le frère Guillaume est déjà inhumé. Dans ces contrées, il ne faut pas laisser traîner un cadavre trop longtemps. Sinon, il répand toutes sortes de maladies. Si tu veux, je t'emmènerai te recueillir sur sa tombe. Nous dirons quelques patenôtres pour le repos de son âme.

— Euh... d'accord, répondit Manaïl, qui n'avait pas la moindre idée de ce dont parlait le commandeur.

Le garçon examina la pièce où il se trouvait. Des paillasses étaient alignées les unes près des autres sur le sol. À l'autre extrémité, un frère hospitalier se penchait sur un homme dont la poitrine était entourée de pansements et lui faisait avaler à la cuillère un bouillon chaud.

— Comme tu vois, en temps de paix, les blessés sont peu nombreux, expliqua le frère Enguerrand en suivant le regard de Manaïl.

Celui-là, il a reçu une ruade de chameau, me dit-on. Moi, jamais on ne m'y prendra, je te l'assure. Ces bêtes difformes ne sont que le premier essai raté de Dieu lorsqu'il a décidé de créer le cheval !

Le frère Enguerrand resta silencieux un instant. Il vrilla sur Manaïl des yeux d'un bleu pareil à celui du ciel qui semblait le pénétrer jusqu'à l'âme.

— Tu es un bien drôle d'oiseau, Maurin de l'Isle…

— Je sais. Vous me l'avez déjà dit.

— Cette bague, par exemple, poursuivit le commandeur. Comment un garçon comme toi peut-il posséder un joyau pareil ?

— Je l'ai trouvée sur la route, mentit Manaïl.

— Tu l'as plutôt volée, oui !

— Non, frère Enguerrand. Je vous l'assure.

— Bon… Je veux bien te croire.

Instinctivement, Manaïl mit sa main gauche par-dessus sa bague.

— Et cette étrange senestre[1] que j'ai remarquée en recousant ta plaie ? demanda le templier en lui prenant la main et en lui écartant les doigts. Je n'ai jamais rien vu de semblable. On dirait la patte d'un crapaud. C'est de naissance ?

––––––––

1. Main gauche.

— Oui, répondit Manaïl en haussant les épaules.

— Hmmmm... Étrange malformation que celle-là. Essaie d'être discret. Avec une telle patte, je ne serais pas étonné si on se remettait à te traiter de démon.

Le frère Enguerrand se pencha vers Manaïl et écarta le col de sa chemise avec ses gros doigts pour examiner la blessure.

— La plaie est déjà bien fermée et elle n'est presque pas chaude. Je crois que tout ira très bien.

Il replaça le vêtement de son nouvel écuyer et expira bruyamment, l'air songeur.

— Parlant de cicatrice... dit-il. Pour te soigner, il va de soi que j'ai dû te retirer ta chemise. Je n'ai pas pu m'empêcher de voir l'affreuse balafre qui te garnit le poitrail. Par tous les saints du Ciel, une telle blessure n'est pas le fruit d'un accident. Quelqu'un l'a volontairement gravée sur ta poitrine. Quel monstre a pu te faire une chose pareille ?

— Euh... Ce n'est rien, bredouilla Manaïl. C'est... Ce sont les brigands qui m'ont attaqué en chemin. Je me suis défendu et ils m'ont blessé. Mais ça ne fait plus mal.

— Morbleu ! s'insurgea le templier d'une voix remplie d'indignation mal contenue qui rappelait le grondement d'un tremblement de terre. A-t-on idée d'infliger de telles tortures

112

à quelqu'un pour le détrousser! Ces truandailles[1] brûleront des mille feux de l'enfer, c'est Enguerrand de Montségur qui te le dit! Et par Dieu Tout-Puissant, je te jure que si l'un d'eux me tombe jamais sous la main, il sera roué! Esmoignoné! Quartelé! Branché jusqu'à carnade![2] Mais avant, je lui arracherai le foie et je le lui ferai manger moi-même par petites bouchées!

À l'extérieur, des cris retentirent. À contre-cœur, le frère Enguerrand interrompit sa tirade et tendit l'oreille en levant le sourcil, intrigué. Quelques secondes plus tard, la porte de l'infirmerie s'ouvrit avec fracas et le frère sergent Bérenger passa la tête dans la pièce.

— Commandeur, nous avons capturé l'assassin du frère Guillaume.

— Ha! Dieu soit loué! se réjouit le frère Enguerrand en abattant un poing massif dans sa main. Est-il vivant, au moins?

— Oui, commandeur. Juste un peu amoché…

— Alors, qu'on le mette sous bonne garde dans une cellule. Laisse-le moisir un peu. J'irai m'entretenir avec lui dans quelques minutes.

— Très bien, commandeur.

---

1. Voyous.
2. Estropié, écartelé, pendu jusqu'à ce que mort s'ensuive.

— Et fais apporter à manger à mon écuyer !

Le frère Bérenger inclina la tête et se retira.

— Tu m'excuseras, Maurin, dit le frère Enguerrand, le regard sombre, en faisant craquer ses jointures d'une manière sinistre. J'ai un coquin à malementer[1]. Je repasserai te voir ce soir. En attendant, repose-toi.

Le commandeur de la cité de Jérusalem tourna les talons et sortit d'un pas déterminé. Manaïl aurait juré qu'il grondait comme une bête fauve en s'éloignant.

✦

Dans sa masure, le vieil homme avait le cœur débordant de gratitude. Depuis la veille, il avait tenté à maintes reprises de conjurer l'image du *Mishpat*. Mais l'eau était restée obstinément muette. Et voilà qu'enfin, il réapparaissait. Il était blessé mais vivant. Par la grâce de Yhwh, dieu d'Israël, la magie qui l'entourait l'avait protégé. Le vieillard décida de le laisser se remettre. Ensuite, il entrerait en contact avec lui.

---

1. Maltraiter.

13

L'INTERROGATOIRE

« Tu es déjà plus laid que les sept péchés capitaux[1] et je t'assure que je ne fais que commencer, menaça le frère Enguerrand en souriant. Il ne tient qu'à toi de mettre un terme à tes souffrances. »

De son seul œil sain, le Hashshasin regardait avec effroi la grosse pince de métal qui venait de se refermer sur l'index de sa main droite. Depuis le moment où les infidèles l'avaient capturé, son existence n'avait été que douleur et agonie. Ces chevaliers savaient mieux que personne infliger la souffrance. On l'avait battu et brûlé. On lui avait arraché les ongles et transpercé la chair. Mais il résistait. Mieux valait mourir que divulguer qui avait

---

1. Dans la tradition chrétienne, l'orgueil, l'avarice, l'envie, la gourmandise, la luxure, la colère et la paresse, considérés comme les péchés les plus graves.

retenu ses services. Il ne craignait personne au monde, sauf le Nergali. Voilà plusieurs mois déjà, il avait vu ce démon se matérialiser dans l'air. Il était sorti de nulle part. Il avait eu si peur qu'il était tombé à plat ventre. L'enchanteur avait souri et l'avait aidé à se relever. Depuis, le Hashshasin lui avait rendu toutes sortes de menus services en se gardant bien de révéler à qui que ce soit ce qu'il savait du templier. Et il ferait de même aujourd'hui, peu importe la douleur. Il en mourrait s'il le fallait. Car il ne doutait pas un instant que cet homme avait le pouvoir de détruire d'un seul coup tous les Hashshasin.

— Je te le demande encore une fois : pour le compte de qui agissais-tu ? tonna l'énorme chef des templiers, l'air mauvais.

Le Syrien resta muet, sachant trop bien qu'une réponse lui vaudrait la mort. Le colosse fit un signe de la tête au garde qui, d'un mouvement sec, lui retourna l'index à l'envers et le tordit dans tous les sens. Un éclair de douleur irradia le corps du Syrien. À travers ses propres hurlements, il entendit le craquement des os qui se brisaient et des tendons qui se déchiraient. Malgré lui, de grosses larmes mouillèrent son visage déformé par la douleur. Avant que la souffrance ne s'apaise un peu, le garde saisit son majeur avec les pinces, prêt à recommencer. Le frère Enguerrand lui

empoigna la chevelure et lui ramena brusquement la tête vers l'arrière.

— Un Syrien n'a aucune raison valable de
vouloir tuer le frère Guillaume, grogna-t-il
entre ses dents serrées. Qui visais-tu? Moi,
peut-être?

Pour toute réponse, le Hashshasin cracha
au visage de son tortionnaire. Le frère Enguerrand essuya calmement sa grosse barbe rousse
et secoua la main pour faire tomber sur le sol
le crachat glaireux et sanguinolent. L'instant
d'après, le majeur du Syrien s'en alla rejoindre
son index contre le dos de sa main. Son cri
strident se répercuta dans toute la prison et
mourut lentement dans un écho sinistre.

La douleur était trop forte. Le Syrien sentit sa résistance l'abandonner. Malgré lui, les
paroles lui échappèrent.

— Ce n'était pas ton frère Guillaume que je
devais tuer, avoua-t-il, haletant de douleur, les
yeux brillants de haine et d'arrogance. C'est
le garçon. Maintenant, tu peux me torturer
autant que tu voudras, tu n'obtiendras rien
d'autre de moi.

— Le garçon… répéta le commandeur,
incrédule. Vraiment? Allons, tu ne me feras
pas prendre des vessies pour des lanternes,
canaille!

Il fit signe au garde qui saisit aussitôt
l'annulaire du Syrien avec les pinces. Un

nouveau cri traversa la prison et fit frissonner les templiers qui s'y trouvaient.

✦

Dans les couloirs de la prison, Jubelo se dirigeait d'un pas pressé vers le garde de la cellule du Syrien. Depuis quelques heures déjà, la torture avait cessé et seul le bruit de ses pas brisait le lourd silence.

— Je viens te relever, lui annonça-t-il.

— Déjà, mon frère ? demanda l'autre, étonné. Je n'ai pas vu le temps passer.

— Deux heures, c'est court lorsqu'on effectue son travail pour la gloire de Notre-Seigneur. Allez, va. Tu as tout juste le temps de te rendre aux prières de none[1].

Le garde se retira et Jubelo prit sa place devant la porte de la cellule. Il avait été facile de convaincre le templier qui devait monter la garde à cette heure d'échanger son tour avec lui. Personne n'aimait passer deux heures à veiller devant une porte close. Jubelo serait relevé à son tour avant les vêpres[2]. Il avait amplement le temps d'accomplir sa sinistre besogne.

_____

1. Quinze heures.
2. Dix-sept heures.

Il attendit quelques minutes puis sortit de sous son manteau un fin stylet de métal. Il fit glisser le lourd loquet de fer, ouvrit la porte et entra en souriant.

Le Syrien, toujours enchaîné au mur, releva péniblement la tête. À la vue de celui qui venait d'entrer, son œil encore valide se remplit de terreur. En silence, il se débattit vainement dans ses chaînes.

Il ne servait à rien de crier. La mort était arrivée.

✦

Manaïl fut réveillé par un hospitalier qui lui apportait le repas du soir : du vin, de l'eau, du pain et un gros morceau de mouton dans du bouillon. Le templier posa le tout sur une petite table près de sa paillasse et laissa tout près des vêtements neufs.

— Le commandeur a ordonné que tu sois vêtu correctement, expliqua-t-il dans la langue que Manaïl comprenait. Les frères paremen- tiers ont confectionné des habits sur mesure.

Manaïl se leva doucement et passa la culotte et la chemise de lin rugueux, puis enfila les chausses de cuir. Il alla s'asseoir à la table et, tout en observant les activités à l'extérieur par une petite fenêtre, vida d'un trait les plats qui se trouvaient devant lui.

Après le repas, le frère hospitalier se présenta de nouveau et appliqua une autre couche d'onguent sur la plaie du jeune blessé avant de ramasser les couverts. Il repartit sans dire un mot, laissant Manaïl seul avec ses pensées.

Peu de temps après, comme promis, le frère Enguerrand revint visiter son écuyer.

— Le tueur est un Syrien de la secte des Hashshasin… Des assassins diaboliquement habiles qui n'hésitent pas à tuer pour de l'argent. D'après les frères qui sont en Terre sainte depuis plus longtemps que moi, c'est la première fois qu'on attrape un de ces mécréants. J'ai dû – comment dire ? – l'esmoignonner[1] un peu pour qu'il se décide à parler, précisa le frère Enguerrand en frottant distraitement ses jointures endolories. Mais à la fin, il aurait chanté comme un troubadour et dansé la saltarelle si je le lui avais ordonné, le bougre.

Le commandeur se mit à faire les cent pas dans l'infirmerie.

— Selon ce fredain, la cible de l'attentat n'était pas le frère Guillaume. C'était toi. Évidemment, il ment comme il respire mais, pour la forme, je te pose la question : tu as une idée de la raison pour laquelle quelqu'un

---

1. Estropier.

voudrait mettre fin à tes modestes jours de hobereau ?

Le frère Enguerrand posa sur son écuyer un regard inquisiteur. Manaïl tentait de cacher le trouble que cette question avait fait naître en lui. Dans son for intérieur, il ne doutait pas que cette nouvelle était liée d'une quelconque manière à sa quête. Si ses aventures récentes à Babylone lui avaient enseigné quelque chose, c'était qu'un filet invisible était tissé autour de lui et que les événements ne se produisaient jamais par hasard. Le seul fait qu'on ait voulu l'assassiner lui procurait un soulagement paradoxal : il savait déjà qu'un Mage se trouvait dans ce *kan*. Maintenant, il avait la confirmation qu'un Nergali y était aussi. Et si ce Nergali cherchait à l'éliminer, c'était que le fragment était à portée de main, quelque part, et qu'il voulait l'empêcher de le retrouver. Mais il ne pouvait rien expliquer de tout cela au frère Enguerrand.

— Euh… non. Vraiment pas, balbutia-t-il. Pourquoi quelqu'un voudrait-il m'assassiner, moi, un simple pèlerin ? Cet homme vous a dit n'importe quoi.

— Effectivement, ça n'a pas beaucoup de sens, acquiesça le frère Enguerrand. Tu te sens assez bien pour faire une petite promenade ?

— Oui…

— Alors, viens avec moi.

✦

Après avoir traversé la cour intérieure de la templerie, Manaïl et le commandeur parvinrent à un bâtiment fortifié sans fenêtres et fermé par une porte massive. Le frère Enguerrand frappa trois grands coups avec sa main ouverte. Aussitôt, la porte s'ouvrit et un templier apparut dans l'embrasure.

— Commandeur, dit-il en s'écartant avec déférence.

Le frère Enguerrand entra sans rien dire, son écuyer sur ses pas. Derrière eux, la porte fut refermée et verrouillée.

— Où sommes-nous ? s'enquit Manaïl.

— Dans les cachots, grogna le templier.

Il accompagna le frère Enguerrand le long de sombres corridors humides jusqu'à une nouvelle porte près de laquelle un autre templier montait la garde. Sans attendre qu'on le lui ordonne, le chevalier s'empressa d'ouvrir. Le commandeur fit un signe approbateur de la tête et entra. Manaïl le suivit et, une fois à l'intérieur, fut épouvanté par la vision qui l'attendait.

Le qualificatif d'homme lui parut presque exagéré pour décrire la loque qui se trouvait devant lui. Sa longue chevelure noire était imbibée de sueur. Sa poitrine nue était couverte de plaies sanglantes et de brûlures. Ses jambes brisées ne le supportaient plus que grâce aux lourdes chaînes qui retenaient ses poignets au mur. Son visage tuméfié ne laissait paraître qu'un œil, l'autre n'étant plus qu'une masse violacée. Son nez brisé tirait ridiculement sur la gauche et un mince filet de sang s'écoulait de l'une de ses oreilles. Mais rien ne surpassait en horreur ses doigts recourbés vers l'arrière dans un angle qui n'avait rien de naturel. La tête pendant mollement sur le torse, il était immobile.

— Voici le misérable, déclara le frère Enguerrand.

— Que lui avez-vous fait ? s'écria Manaïl, le souffle coupé.

— Comme je te l'ai dit, nous avons dû user d'un peu de persuasion pour qu'il parle, admit le commandeur, un éclair déterminé dans les yeux, en désignant de la tête une petite table où étaient posées des pinces, des lames et des barres de métal. Heureusement, *SPIRITUS QUIDEM PROMPTUS EST, CARO AUTEM INFIRMA*[1], comme le dit l'Évangile...

Manaïl frissonna en imaginant les tortures que l'homme avait subies. Le frère Enguerrand empoigna les cheveux de l'homme et lui releva la tête.

---

1. En latin : L'esprit est bien disposé, mais la chair est faible.

— Tu le connais ? demanda le frère Enguerrand.

Le garçon surmonta sa répulsion et s'approcha un peu.

— Non, déclara-t-il en déglutissant. Je ne l'ai jamais vu.

— Réveille-le ! ordonna le commandeur au garde.

Le templier prit une chaudière d'eau et en lança le contenu au visage du prisonnier. L'homme ne réagit pas. Interdit, le garde lui administra deux solides claques sur les joues, sans plus de résultats. Le frère Enguerrand s'approcha et examina l'homme.

— Il a trépassé, le bougre, constata-t-il avec dépit.

Il haussa les épaules et se retourna vers Manaïl.

— Je crains que nous n'y soyons allés un peu trop fort pour obtenir ses aveux. Dommage. J'aurais bien aimé pouvoir m'assurer qu'il nous avait dit tout ce qu'il savait. Ces Hashshasin sont coriaces.

Il saisit l'épaule du garçon et l'attira vers la porte de la cellule. Juste avant de sortir, il s'adressa au garde.

— Débarrassez-vous de cette ordure, commanda-t-il en désignant la dépouille d'un geste de la tête.

✦

Dans la cour, Jubelo sentait l'optimisme renaître en lui. Malgré l'accroc temporaire dû à l'échec du Syrien, les choses se déroulaient pour le mieux. Le prisonnier s'était éteint dans la plus parfaite indifférence sans l'avoir trahi. Avant de le tuer, il s'en était assuré. Quant au garçon, il trouverait bien une autre occasion d'en finir avec lui. Il suffisait d'être patient.

L'ESCLAVE

Parsagadès, capitale de l'empire perse,
en l'an 487 avant notre ère

« **D**onne-moi du vin, Belle, ordonna un homme obèse en tendant un gobelet à moitié vide. Et ramène des fruits frais à mes invités. »

Belle inclina la tête en signe d'acquiescement. D'un pas traînant, elle se rendit dans la cuisine y prendre des dattes et des raisins. Depuis toujours, elle obéissait en silence. Mais ce mutisme, qui donnait l'impression de la plus parfaite docilité, cachait une grande amertume. Du plus profond de son cœur, elle haïssait ce marchand aux chairs gonflées par les plaisirs de la table et du vin, le confort de la richesse. Elle détestait sa femme, pimbêche enrobée de graisse et de bijoux, acariâtre et cruelle, qui la battait à la moindre maladresse. Elle exécrait leurs quatre enfants capricieux et méchants qui traitaient leurs animaux de compagnie mieux qu'elle, qui la considéraient comme un objet et la méprisaient. Elle abhorrait cette ville qui avait été la capitale du vieux roi Cyrus II avant que son fils, Darius, ne décide d'en construire une nouvelle tout à côté, à Persépolis. Elle en honnissait les habitants, qui posaient sur elle des regards dédaigneux ou, pire encore, qui l'ignoraient comme on le fait avec un chien errant.

Elle maudissait par-dessus tout ce nom rempli de dérision dont on l'avait affublée à son arrivée dans la maison. Belle. Il lui avait suffi de voir son reflet, un jour, voilà très, très longtemps, dans un miroir en bronze poli, pour constater qu'elle était l'antithèse de la beauté. Son œil droit, recouvert d'un film blanchâtre, n'était qu'un horrible globe déformé laissant couler sur sa joue un liquide visqueux qui ne tarissait jamais. De la racine des cheveux au bas du menton, un amas de repoussantes cicatrices violacées avaient remplacé la peau lisse et basanée sur le côté droit de son visage, étirant ses lèvres en un affreux demi-sourire permanent. Son corps n'était guère en meilleur état. Son dos, son ventre, ses bras et ses cuisses étaient parsemés d'épaisses cicatrices, pâlies depuis longtemps, qui lui tiraient les chairs et entravaient ses mouvements. Et rien ne s'était amélioré au fil des ans. Sous les efforts constants qu'elle devait fournir pour mériter les maigres restes de table dont on daignait parfois la nourrir, son dos s'était voûté. Belle ignorait quel âge elle pouvait avoir, mais ses longs cheveux avaient blanchi et étaient devenus rêches. Elle se sentait aussi vieille et usée que la tunique qu'elle portait tous les jours. La seule qu'elle possédât.

Aussi loin que sa mémoire remontait, la vie de Belle n'avait été qu'esclavage. Mais depuis longtemps, sa mémoire était brisée. Elle débutait avec ce jour maudit entre tous où, sur le marché des esclaves de Parsagadès, le marchand encore jeune mais déjà gros et suant, avait levé une main potelée pour l'acheter. Une bonne affaire, l'avait-on assuré. La petite était peut-être défigurée et endommagée, mais elle était encore forte. Elle ferait une bonne domestique et durerait longtemps. Et, dans l'état où elle se trouvait, son acquisition avait été une aubaine, car personne d'autre n'en voulait. Avant ce jour maudit, ses souvenirs n'étaient qu'une terre inconnue.

Le marchand l'avait ramenée à la maison et l'avait aussitôt mise au travail. Depuis, tous les jours, elle servait les repas, rangeait et nettoyait, faisait les courses et la toilette de ses maîtres... Elle ramassait les vomissures et les excréments qui souillaient la maison après chacune des nombreuses fêtes. De longues années de misère et d'amertume, sans la moindre variation.

Parfois, la mémoire lui revenait presque. Des images, des visages, des sons, des bribes de souvenirs remontaient à la surface. Mais ils restaient tout juste hors de portée, comme pour la narguer. Et c'était probablement mieux ainsi. Chaque fois que cela se produisait, une terrible angoisse lui étreignait la gorge et le ventre, et lui causait des sueurs froides. Derrière le mur qui s'était érigé dans sa mémoire se cachait quelque chose de terrible. Elle en était convaincue.

Belle soupira, prit le bol de fruits frais avec une main et une cruche de vin avec l'autre. Elle retourna dans la salle commune, déposa les fruits sur une petite table et remplit à la ronde les gobelets de bronze tendus dans sa direction en faisant bien attention de ne pas éclabousser les invités de son maître. Une telle faute lui vaudrait encore des coups.

— Alors, ma jolie, demanda en riant un homme âgé assis près de son maître, pas de demande en mariage récemment ?

Autour de lui, les autres invités éclatèrent de rire en se frappant les cuisses.

— Tu dois au moins avoir un cavalier, ricana un autre.

— Tu es l'élue de mon cœur, Belle, se moqua un troisième homme en donnant des coups de coude amusés dans les côtes de son voisin. Tu voudrais m'épouser ?

Belle était depuis longtemps habituée à ce genre de cruauté. Elle l'endurait sans montrer le moindre signe de blessure. Mais elle n'y était pas insensible. Elle était humaine, elle aussi. Une fois de plus, son cœur se gonfla d'un haine chaque jour plus difficile à contenir. Lorsque ses tâches furent terminées, elle regarda dans la direction de son maître, en attente de nouvelles directives. Le gros homme luisant de sueur, les joues rougies par le vin, le menton enchâssé dans un collier de graisse poisseuse, lui fit signe d'une main potelée qu'elle pouvait disposer. Elle s'inclina avec docilité et se retira sans rien dire.

De retour dans la cuisine, elle prit un panier d'osier. Les invités étaient servis et s'en iraient bientôt. Il était temps d'aller au marché pour acheter du fromage, du pain et des dattes pour nourrir les porcs qui la possédaient. Elle franchit la porte de la demeure et s'engagea dans une rue de Parsagadès. La ville était vaste et ses rues bien dégagées. Rien à voir avec… avec d'autres villes dont elle se rappelait presque. Elle secoua la tête, frustrée. Ces bribes de souvenirs allaient la rendre folle.

Parvenue au marché, elle remplit son panier avec les denrées dont elle avait besoin, laissant à son maître le soin de régler la note avec les commerçants qui la connaissaient tous. Elle prit le chemin du retour. Dans sa tête, les méchantes plaisanteries s'étaient ajoutées à celles qu'elle avait subies durant toutes ces années. *Pas de demande en mariage récemment? Tu es l'élue de mon cœur, Belle.*

Elle s'arrêta brusquement, le souffle court. Son panier atterrit sur le sol sans qu'elle s'en aperçoive. Le fromage, le pain et les dattes s'y répandirent. *L'élue de mon cœur... L'élue...* Dans sa tête, un barrage venait de se rompre. Des flots d'images et de souvenirs se mirent à y tournoyer à une vitesse étourdissante. Haletante, vacillant sur ses pieds, elle s'abandonna à la sensation depuis longtemps oubliée.

Belle n'aurait pu dire combien de temps elle était restée ainsi, figée au beau milieu de la rue. Les mains tremblantes, elle se pencha, ramassa les provisions et les remit dans le panier machinalement. Puis elle prit le chemin de la maison de ses maîtres. Pour la dernière fois.

✦

Belle était remplie d'un incomparable sentiment de bien-être. Pendant toutes ces années, sans le savoir, elle avait attendu ce moment béni où la femme qu'elle avait été renaîtrait pour exercer sa terrible vengeance. Dans la salle commune, le marchand, sa femme et ses quatre enfants gisaient, la gorge tranchée. Elle s'était assurée que la dernière chose qu'ils verraient était le visage souriant et déformé de celle qu'ils avaient tant humiliée.

Les lèvres figées dans un rictus bestial, elle laissa tomber le poignard sanglant qu'elle tenait encore à la main. Enfin, Belle n'était plus. Celle qu'elle était redevenue avait une tâche à accomplir. Une autre vengeance, mille fois plus terrible, l'appelait.

Debout au centre de la pièce, elle ferma les yeux, se recueillit, écarta les bras et quitta Parsagadès sans aucun regret.

L'APPARITION DE LA VIERGE

Jérusalem, en l'an de Dieu 1244

Manaïl avait très mal dormi après sa visite à la geôle. L'image épouvantable de l'homme enchaîné au mur lui revenait sans cesse en mémoire. Lorsqu'il parvenait à trouver le sommeil, il en était immanquablement tiré par un cauchemar où le supplicié fixait sur lui un regard accusateur et lui annonçait qu'il mourrait bientôt dans des souffrances encore pires. Chaque fois, Manaïl se réveillait couvert de sueur, convaincu que l'homme était tapi dans un coin de l'infirmerie, prêt à fondre sur lui.

Résigné à ne plus dormir cette nuit-là, il avait fini par se lever avant le soleil et faisait les cent pas dans l'infirmerie, en prenant soin de ne pas réveiller son voisin, qui se remettait de la ruade de chameau. Accoudé sur le rebord de la fenêtre qui, du deuxième étage, donnait sur la cour intérieure de la templerie, il analysait sa situation à la lueur de l'unique chandelle qui brûlait dans un bougeoir de métal placé près de la porte. Le jour se levait. Quelque part dans Jérusalem, un muezzin appelait les musulmans à la prière.

Il était dans ce *kan* depuis quelques jours déjà, mais cette fichue blessure l'empêchait de progresser. Malgré tout, un Mage avait cherché à communiquer avec lui par l'intermédiaire de l'homme qui l'avait interpellé dans le convoi. Il ignorait malheureusement comment le retracer. Il ne devait pas oublier non plus qu'un Nergali avait tenté de l'assassiner. Désormais, il lui faudrait être très prudent.

Manaïl inspira profondément. Il devait placer sa confiance en Ishtar. Dans le temple du Temps, la déesse lui avait promis qu'Elle ne l'abandonnerait jamais. Elle guiderait certainement ses pas vers le fragment. Il devait être patient et garder la foi.

Son regard erra vers une statue placée dans une petite alcôve creusée à même le mur. Au fond, on avait peint un ciel nuageux. Il l'avait remarquée plus tôt sans vraiment s'y intéresser. Elle représentait une femme couronnée, à l'air angélique, et vêtue d'une robe bleue. Les mains ouvertes, elle semblait inviter à la paix. Manaïl ignorait qui elle représentait mais, pour être ainsi mise en valeur, cette personne devait avoir une grande importance aux yeux des templiers.

— Dis quelques *Ave Maria* pour moi, tu veux bien ? demanda une voix faible dans la pénombre.

Manaïl sursauta avant de réaliser que la voix était celle du templier blessé, étendu sur sa paillasse à l'autre bout de la pièce. Il était réveillé et le regardait.

— On ne prie jamais assez la Vierge Marie, mère de notre Sauveur Jésus-Christ, ajouta l'homme, que l'effort de parler faisait grimacer.

— D'accord… acquiesça Manaïl sans comprendre ce qu'il racontait. Je le ferai.

— Merci. Dieu te le rendra au centuple, dit le blessé en tenant ses côtes brisées.

Manaïl reporta son attention sur la statue. Il éprouvait tout à coup une étrange fascination pour ce visage serein et bon. La dame lui rappelait quelqu'un. Il se perdit dans sa contemplation.

Soudain, le monde s'effaça autour de lui, comme il l'avait fait durant la procession à Babylone. Une douce brise balaya la pièce. L'infirmerie fut remplacée par un amas de brume dans lequel flottait la belle dame. Manaïl constata qu'il était dans le vide, à travers les nuages. Un chaud rayon de soleil se posa sur lui. Autour de la dame, dont la tête était encerclée par un halo de lumière, des chérubins dodus tournoyaient gaiement en agitant leurs petites ailes. La statue de la Vierge s'anima et, dans un mouvement d'impatience, essaya de chasser les anges avec une main, comme on éloigne des moustiques agaçants. Incapable d'y parvenir, elle haussa les épaules, soupira avec résignation et sourit à Manaïl.

— Nous voici tous deux bien loin de chez nous, Élu, déclara la dame en suivant d'un regard impatient un angelot qui venait de traverser son auréole.

Manaïl sentit un immense soulagement l'envahir. L'incertitude qu'il avait éprouvée depuis qu'il était dans ce *kan* lui remonta en masse dans la gorge et quelques larmes lui échappèrent. Ishtar ne l'avait pas abandonné.

— Aidez-moi, ô déesse, implora-t-il. Je ne sais pas par où commencer.

— Ta foi est-elle donc si fragile, Élu, que tu perds courage après quelques jours ? lui reprocha Ishtar avec tendresse. Tu as pourtant déjà progressé dans ta quête.

Un craquement sec retentit. Un bras de la statue se détacha et disparut dans les nuages.

— Ta voie est tracée, reprit la déesse. Tu dois entrer dans cet ordre. C'est par lui qu'elle te sera révélée.

— Moi, un templier ? fit Manaïl, étonné. Mais j'ignore tout d'eux... Je ne leur ressemble pas... Ils ne voudront jamais de moi.

— Tu sous-estimes tes qualités, Élu.

Sur la statue, le sourire se figea et se transforma en grimace. De fines craquelures apparurent sur ses joues, puis s'étendirent à tout son visage.

— Je dois te quitter, Élu, articula la déesse avec difficulté. Ce *kan* n'est pas le mien. Il n'y reste presque plus rien de moi.

— Ne partez pas ! supplia Manaïl, les mains tendues vers elle.

Les craquelures gagnèrent le corps de la statue. De gros morceaux de plâtre tombèrent du visage, le rendant méconnaissable.

— Dans ce *kan* se trouvent un Mage, deux ennemis et un sauveur, révéla Ishtar, dont la voix s'estompait. Écoute ton cœur et tu les reconnaîtras.

— Et le fragment ? Où est-il ? s'écria Manaïl.

— Je l'ignore. C'est à toi de le découvrir.

Quelques secondes de plus et la statue de la Vierge fut réduite en un amas de poussière. Puis, autour de Manaïl, tout redevint comme avant. La statue de la Vierge, intacte, fixait sur lui un regard inerte mais bienfaisant. Au loin, le templier blessé s'était endormi et émettait des ronflements glaireux. Dehors, le soleil se levait et ses premiers rayons éclairaient l'infirmerie.

Manaïl était encore ébranlé lorsque le frère Enguerrand fit irruption dans la pièce, une écuelle de métal à la main.

— Bien le bonjour, Maurin de l'Isle ! tonnat-il, d'excellente humeur. Que Dieu soit avec toi en ce nouveau jour rempli de promesses !

Dans l'autre coin de l'infirmerie, le blessé s'éveilla en sursaut, mais son supérieur ne lui accorda aucune attention.

— Comme je devais visiter mon jeune patient, je me suis dit que je pourrais lui apporter moi-même son repas du matin, poursuivit le commandeur en souriant. Un peu d'humilité n'a jamais fait de mal à personne ! Encore moins au commandeur de la cité de Jérusalem ! Allez, avale-moi ça ! Tu dois reprendre des forces !

Manaïl prit le récipient rempli d'un épais bouillon de viande dans lequel on avait déposé une tranche de pain. Il se mit à manger avec appétit.

Debout devant lui, les bras croisés sur sa massive poitrine, le frère Enguerrand l'évaluait d'un air critique. Un de ses yeux était à moitié fermé et une moue dubitative déformait ses lèvres. Après de longues minutes, le templier parut satisfait de ce qu'il voyait.

— Dis donc, toi, tu m'as l'air en forme ! s'exclama-t-il. Le repos et mes bons soins semblent t'avoir fait le plus grand bien.

Craignant de devoir rester enfermé plus longtemps dans cette pièce déprimante, Manaïl jugea préférable de ne pas mentionner la mauvaise nuit qu'il avait passée.

— Oui, je me sens beaucoup mieux, répondit-il en raclant le fond de l'écuelle avec un bout de pain. Mon épaule ne me fait presque plus mal.

Pour appuyer ses dires, il posa le récipient sur la petite table et fit quelques moulinets avec son bras.

— Vous voyez ? Il fonctionne aussi bien qu'avant !

— Ha ! s'écria le commandeur, un sourire malicieux sur les lèvres. Je savais bien que mes doigts de fée viendraient à bout de cette vilaine plaie !

— Vos doigts et l'onguent qui pue, corrigea Manaïl en riant.

— Bon ! Tout cela est bien beau, mais dans une templerie, personne ne reste oisif, dit le commandeur. Tu te sens d'attaque pour reprendre tes activités d'écuyer ? J'ai visité Canaille après les matines et je crois qu'il s'ennuie un peu de toi.

— Oh oui ! lança Manaïl.

Le magnifique cheval lui manquait beaucoup, à lui aussi. « Et puis, songea-t-il, ce n'était pas en restant enfermé dans l'infirmerie qu'il arriverait à retrouver la trace du fragment. »

— Excellent! dit le templier en se frottant les mains. Tu te rappelles où se trouvent les écuries?

— Oui.

— Il faut étriller mes trois chevaux jusqu'à ce que leur poil luise comme un liard[1] tout neuf. Quand tu auras terminé, tu astiqueras mes armes.

— Encore? Mais je l'ai déjà fait… Elles ne sont certainement pas plus sales…

— Elles doivent être toujours prêtes à servir. Tu vas les entretenir chaque jour que le Très-Haut voudra bien faire, jeune homme! Allez! Un templier ne discute pas les ordres!

— Mais je ne suis pas un templier…, répliqua Manaïl en tâchant de cacher sa déception.

Au même moment, la cloche de la chapelle retentit.

— Justement! C'est l'appel pour les prières de prime. Suis-moi. Toi et moi devons régler une légère formalité.

— Quoi donc? s'enquit Manaïl.

---

1. Monnaie de cuivre.

— Aujourd'hui, comme je te l'ai promis, expliqua le commandeur, l'air amusé, tu vas faire tes premiers pas dans l'ordre des Pauvres Chevaliers du Christ et du Temple de Salomon.

Intérieurement, Manaïl rendit grâce à la sagesse d'Ishtar et lui demanda pardon d'avoir une fois de plus douté d'Elle. Il s'habilla aussi vite qu'il le put et emboîta le pas au frère Enguerrand. Ensemble, ils sortirent de l'infirmerie et traversèrent la cour intérieure de la templerie sans que le moindre mot soit échangé.

Le commandeur se dirigea droit vers la chapelle octogonale et y pénétra. Sachant que son destin l'appelait dans cet endroit, le garçon inspira profondément pour se donner du courage et entra à la suite du templier.

L'INITIATION

Dans l'antichambre de la chapelle, le frère Enguerrand s'arrêta et fit un signe discret de la tête à deux templiers qui s'empressèrent de verrouiller la porte derrière lui. Ils se placèrent ensuite au garde-à-vous de chaque côté de l'entrée.

— Tout le monde est là ?

— Oui, commandeur, répondit un des gardes.

Le frère Enguerrand pénétra dans l'antichambre et ordonna à son écuyer d'entrer. Manaïl obtempéra.

— Attends qu'on vienne te chercher, dit sèchement le commandeur avant de refermer la porte derrière lui.

On actionna le loquet de l'extérieur.

Manaïl se retrouva seul dans une pièce exiguë et sans fenêtres, dont les murs étaient drapés de noir. Pour tous meubles s'y trouvaient un banc et une table recouverte d'un drap noir orné de la croix rouge des Templiers. Sur la table étaient posés un crucifix, un crâne dans le front duquel était fiché un poignard et, à plat devant, deux tibias croisés. Une chandelle éclairait le tout de façon lugubre.

Hésitant, le garçon s'assit et examina avec dédain les restes humains qui lui faisaient face. Le crâne, figé dans une grimace perpétuelle, semblait s'amuser de son malaise.

Un profond soupir siffla soudain dans la pièce. Manaïl sursauta, convaincu que le crâne avait repris vie. Une ombre émergea dans un coin de la pièce et s'avança vers lui. Le garçon recula sur son banc, terrifié, cherchant en vain une arme pour se défendre.

L'inconnu qui se tenait devant lui était vêtu d'une longue robe de bure noire. Les mains enfouies dans ses manches, il dissimulait son visage sous un capuchon. Sur sa poitrine pendait une croix de bois suspendue à un lacet de cuir grossier. Le nouveau venu s'immobilisa de l'autre côté de la petite table. La flamme de la chandelle qui dansait dans ses pupilles et éclairait le bout de son long nez lui donnait un air démoniaque.

— Maurin de l'Isle, dit-il d'une voix à peine plus forte qu'un murmure, demandes-tu ton entrée dans notre ordre?

— Euh... Oui, sire, balbutia Manaïl en se rappelant qu'Ishtar lui avait affirmé que sa voie se trouvait parmi les Templiers. Le frère Enguerrand me l'a proposé et...

— Prétends-tu être capable de respecter la discipline de l'ordre, ses interdictions, ses devoirs et ses obligations ? coupa l'homme.

— Oui, sire.

— Souffriras-tu les pires tourments pour ton Dieu ?

— Oui, sire, acquiesça Manaïl en songeant à Ishtar, sa déesse à lui.

— Es-tu décidé à être serf et esclave de ces choses pour ta vie durant ?

— Oui, sire.

L'homme empoigna le crâne sur la table et, d'un geste brusque, le brandit à un doigt du visage de Manaïl.

— Donneras-tu ta vie pour l'ordre, comme le fit jadis ce frère ?

— Oui, sire, fit le garçon d'une voix tremblante.

— As-tu une épouse ou une fiancée ? continua-t-il.

— Bien sûr que non, sire ! s'offusqua le garçon.

— Apportes-tu avec toi des dettes qui retomberaient sur l'ordre ?

— Non, sire.

— Es-tu sain de corps et d'esprit ?

— Oui, sire.

L'homme hocha la tête, apparemment satisfait, et replaça le crâne sur la table.

— Réfléchis une dernière fois à l'obligation que tu t'apprêtes à assumer, Maurin de l'Isle. Par elle, tu te donneras corps et âme à la milice du Christ. Pour toujours et à jamais. Es-tu prêt à être admis ?

— Oui, sire.

L'homme se retourna et frappa trois coups secs sur la porte qui s'ouvrit aussitôt. Il sortit sans jeter le moindre regard à Manaïl et referma derrière lui. Au bout de ce qui parut une éternité au garçon, la voix puissante du frère Enguerrand retentit dans le silence, traversant le bois épais de la porte.

— Qu'on fasse venir le candidat, de par Dieu !

Un templier entrebâilla la porte et lui fit signe de sortir. Manaïl obéit, les entrailles crispées par la peur de l'inconnu. Il maugréait intérieurement en songeant à la déesse. Elle pouvait bien souhaiter qu'il devienne templier, mais ce n'était pas Elle qui avait à se soumettre à des rituels aussi mystérieux qu'inquiétants. Pourtant, il le fallait et il ne reculerait pas.

Le frère lui passa un nœud coulant autour du cou et l'entraîna comme une bête de somme vers une chapelle, éclairée par de nombreuses chandelles. Au centre de la pièce ronde se trouvait le commandeur, en armes et vêtu de son manteau blanc. Solennel, il se tenait près d'un petit autel en bois décoré de dorure. Les templiers étaient massés le long des murs, tête nue et vêtus de blanc, et formaient un cercle impressionnant. Malgré leur nombre, pas un seul son ne rompait le silence.

Parvenu devant le commandeur, le templier qui accompagnait Manaïl lui appuya sa main gantée de fer sur l'épaule et le contraignit à s'agenouiller. Les genoux du garçon heurtèrent douloureusement le sol de pierre.

L'air solennel du frère Enguerrand tranchait avec sa bonhomie habituelle. Il abaissa sur son écuyer un regard sombre et intimidant.

— Joins les mains en signe de piété et penche la tête avec l'humilité d'un templier, ordonna-t-il.

Manaïl s'exécuta sans attendre.

— Humble candidat, continua le frère Enguerrand d'une voix forte qui résonna dans le silence de la chapelle, en présence du chapitre de Jérusalem, tu sollicites aujourd'hui l'honneur d'être admis au sein de l'ordre des Pauvres Chevaliers du Christ et du Temple de Salomon. Tu demandes une bien grande chose car, de notre ordre, tu n'as vu que l'extérieur. En y entrant, tu en découvriras les rudes exigences et tu deviendras le serf d'autrui. Tu n'existeras plus pour toi mais pour tes frères. On t'enverra là où tu ne voudras pas aller, mais où le concours de tes armes sera requis. Lorsque tu voudras dormir, on te fera veiller. Lorsque tu voudras manger, on te fera jeûner. Lorsque tu voudras épargner une vie, on te commandera de tuer. Lorsque tu auras peur, on t'enjoindra au courage. Lorsque tu voudras fuir, on t'ordonnera de combattre. Lorsque tu voudras vivre, on exigera ta mort. Affirmes-tu sur l'honneur que tu souffriras sans plainte toutes ces duretés?

— Je l'affirme, sire.

— Acceptes-tu d'être, pour le reste de tes jours, le serviteur obéissant de Sa Sainteté le pape, successeur de l'apôtre Pierre, de tous les chrétiens et de l'ordre des Pauvres Chevaliers du Christ et du Temple de Salomon?

— Je l'accepte, sire.

— Jures-tu de renoncer à toute volonté pour n'obéir qu'à celle du très vénérable grand maître, de ton commandeur et de ses officiers?

— Je le jure, sire.

— Acceptes-tu dès maintenant, dans la sérénité et la vraie foi, la mort qui t'est déjà promise?

— Oui, sire.

— Soit. Ton sort est donc scellé, candidat.

Le frère Enguerrand pivota sur lui-même et s'adressa à l'assemblée des templiers.

— Beaux frères, ce postulant a grand désir de votre compagnie. L'un de vous s'oppose-t-il à sa présence parmi nous ? Que celui-là parle maintenant et à présent, ou qu'il se taise à jamais et vive en harmonie avec son nouveau frère !

Un silence de tombe accueillit la requête. Le frère Enguerrand reporta son attention sur Manaïl.

— Candidat, jures-tu, sur ton honneur et le salut de ton âme, de demeurer fidèle à Dieu et à la Vierge Marie ?

— Je le jure, sire, murmura Manaïl, trop heureux de réaffirmer, même de façon détournée, sa fidélité à Ishtar.

— Promets-tu, devant Dieu et la Vierge Marie, que désormais et pour toujours, tu vivras sans rien posséder en propre hormis ce que tu portes sur toi aujourd'hui et ce qui te sera donné par la suite ?

— Je le promets, sire.

— Déclares-tu avoir pleine conscience que, si tu trahis l'ordre, tu auras la gorge tranchée et le cœur arraché encore frémissant, que ton corps sera laissé en pâture aux créatures vivant de charogne pour être réduit à rien, et que ton nom sera à jamais effacé des registres de l'ordre ?

— Je le déclare, sire, répondit Manaïl en frissonnant à l'idée du châtiment terrible qu'on lui décrivait.

Le frère Enguerrand fit un signe de la tête. Deux frères sortirent des rangs et s'avancèrent. L'un portait une grande croix de fer forgé munie de pointes de métal acérées qu'il posa sur le sol, aux pieds de Manaïl, avant de retourner à sa place. L'autre tenait entre ses mains un coffre de bois. Il se plaça à côté du commandeur et attendit.

— En signe de soumission à Notre-Seigneur et de compassion pour son martyre, allonge-toi sur la croix.

Pantois, Manaïl obtempéra. Les pointes de métal appuyèrent cruellement contre sa chair et il sentit que le moindre mouvement les y enfoncerait.

— Comme Notre-Seigneur endura les douleurs de la croix, tu les connais aujourd'hui. Souviens-t'en lorsque ton courage défaillira. Maintenant, relève-toi.

Manaïl obéit en se tâtant le corps. Il ne semblait pas blessé mais il sentait encore la douleur des pointes de métal. Le frère Enguerrand ouvrit le coffre que tenait toujours le second templier et, d'un geste brusque, en sortit une tête humaine desséchée. Horrifié, Manaïl eut un mouvement de recul lorsque le commandeur l'approcha à quelques lignes[1] de son visage.

— Maintenant, dit le frère Enguerrand, scelle à jamais ton obligation en posant tes lèvres sur celles du prophète Jean-Baptiste, notre saint patron, dont voici la sacrée relique, offerte jadis sur un plateau à Hérode Antipas, gouverneur de Judée, par la vile Salomé, et parvenue jusqu'à nous par les voies mystérieuses de Dieu Tout-Puissant.

Le visage qui lui faisait face était repoussant. Sur la peau parcheminée subsistaient encore quelques touffes éparses de barbe hirsute et une longue chevelure. Les orbites vides le regardaient avec insistance et semblaient vouloir percer les secrets de son âme. Les lèvres retroussées formaient un rictus abject.

La nausée gonflait la gorge du garçon. Une main puissante lui empoigna la nuque et, avant qu'il ne puisse résister, poussa ses lèvres contre celles de l'horrible visage. Manaïl se détacha aussitôt et recula en s'essuyant la bouche avec ses mains, crachant à répétition sur le sol.

Le frère Enguerrand resta un moment silencieux avant de continuer.

---

1. Une ligne vaut environ 2 millimètres.

— Beau frère Maurin de l'Isle, nous t'admettons aujourd'hui à tous les bienfaits du Temple. Nous te promettons du pain sec et de l'eau croupie, la robe souillée du pauvre et beaucoup de peine et de travail. Agenouille-toi.

La même main se posa de nouveau sur son épaule, le poussa sans ménagement sur les genoux et lui inclina la tête vers l'avant. Manaïl entendit le bruit métallique de l'épée du commandeur qui venait d'être tirée de son fourreau. Il sentit la lame qui s'appuyait lourdement sur son épaule gauche, puis sur sa droite et enfin sur sa tête.

— Par cette épée, je t'adoube frère servant de l'ordre des Pauvres Chevaliers du Christ et du Temple de Salomon! s'écria le commandeur. Que Dieu te vienne en aide et t'arme de constance pour tenir cette grande et solennelle obligation de templier. Car rien de plus grand ne te touchera jamais!

Le frère Enguerrand rangea son épée, prit Manaïl par le bras et le releva. Un templier s'avança et lui remit un manteau brun orné de la grande croix rouge. Il le posa sur les épaules de son écuyer toujours agenouillé.

— Le manteau blanc des chevaliers du Temple, que portent certains de tes frères, symbolise la pureté de leur foi, de leur cœur, de leur naissance et de leur mission. Le manteau brun des servants, qui sera le tien jusqu'à ta mort, représente l'humilité et le travail qui sont le lot des hobereaux. Comme tu n'es pas fils de noble, frère servant tu entres dans l'ordre et frère servant tu resteras. Mais comme tout templier, tu porteras la croix rouge, qui te rappellera chaque jour le sang que tu t'es engagé à verser pour le Christ, notre Sauveur, et que moult frères ont déjà donné.

On releva Manaïl. Un frère sergent s'approcha avec une ceinture de cuir garnie d'un long fourreau et la boucla autour de sa taille. Un autre se présenta avec une lourde épée qu'il donna au commandeur. Ce dernier la glissa dans le fourreau.

— Comme tout templier, tu dois défendre la Foi contre ses ennemis, en Terre sainte ou là où on t'enverra, poursuivit le frère Enguerrand. Tu porteras cette épée avec ferveur et tu la manieras avec courage. En bon frère, tu apprendras sous peu à la manier afin de défendre la foi et les pèlerins.

Le commandeur s'adressa à l'assistance.

— Prions pour le salut de l'âme de notre nouveau frère!

Toute l'assistance pencha la tête et récita trois patenôtres et trois *Ave* avant de tirer l'épée et de la pointer vers le ciel.

— Baucéant! crièrent les templiers à l'unisson.

Tous se turent et rivèrent leur regard sur Manaïl. Le frère Enguerrand lui fit un signe imperceptible de la tête. Le garçon comprit ce qui était attendu de lui. Il tira à son tour son épée et la leva.

— Baucéant! s'écria-t-il d'une voix dont la puissance l'étonna.

Les frères rangèrent leur épée et Manaïl fit de même. Un à un, les templiers s'avancèrent vers le nouveau membre de leur ordre. Chacun lui saisit le poignet avec vigueur en le regardant droit dans les yeux et l'étreignit afin que leurs poitrines et leurs cœurs se touchent.

Puis l'assistance se dispersa et tous repartirent vers leurs tâches quotidiennes. Manaïl était désormais un templier et le devoir l'appelait.

L'APPRENTI TEMPLIER

La cérémonie était à peine terminée qu'un frère sergent emmena Manaïl dans le dortoir des servants.

— Assieds-toi, lui ordonna-t-il en lui désignant un tabouret.

Manaïl obéit. Le sergent prit une chaudière d'eau qui traînait là et la versa sans ménagement sur la tête du garçon. Trempé jusqu'aux os, il se mit à grelotter. Riant de bon cœur, le sergent prit un rasoir et s'approcha. Manaïl eut un mouvement de recul instinctif.

— Ho! Ne t'énerve pas comme ça, le rassura le sergent. Je ne vais pas t'égorger! Je vais seulement raser cette chevelure. Les templiers doivent porter les cheveux courts en signe de servitude. C'est la règle.

Manaïl grimaça. Il n'avait pas réalisé que, maintenant qu'il était un frère servant, il devrait adopter la coiffure des templiers.

Source de fierté masculine pour tout Babylonien, sa chevelure n'avait peut-être pas toujours été très propre, mais il y tenait. Il se renfrogna puis se résigna et pencha la tête. Le sergent se mit à l'œuvre. Dépité, le nouveau templier regarda ses longues mèches noires tomber une à une sur le sol. Quelques minutes et quelques coupures plus tard, l'opération était terminée. Le sergent recula d'un pas pour admirer son travail et en parut satisfait.

— Voilà. La barbe finira par venir un jour, dit-il en riant de plus belle, pendant que Manaïl passait la main sur son crâne désormais lisse comme un œuf. Et n'oublie pas : tu dois te raser la tête au moins une fois par semaine. C'est la règle. Tu trouveras un rasoir dans ta cellule.

Le sergent le conduisit ensuite à la chambrette qui lui avait été attribuée.

— Ne perds pas de temps, lui intima-t-il en s'éloignant. Aucun templier ne doit rester oisif. C'est la règle.

« C'est la règle, c'est la règle… », soupira intérieurement Manaïl. Y avait-il quelque chose qu'elle ne prévoyait pas, cette règle ?

Il examina son nouveau chez-soi. La minuscule pièce, identique à celle de tous les autres frères sergents et servants, contenait un petit lit étroit, une table, une chaise, une

155

chandelle de suif et un coffre en bois où ranger ses effets personnels. Comme il ne possédait rien, son installation se fit rapidement. Et puis, il avait des tâches à accomplir. C'était la règle...

✦

En sortant du dortoir, Manaïl se dirigea vers les écuries. La toilette subie lui avait fait prendre du retard sur son ouvrage.

Lorsqu'il pénétra dans le bâtiment, une douleur lui traversa la poitrine. Le souffle coupé, il s'appuya contre le mur de maçonnerie. Il porta la main à sa cicatrice et y sentit nettement des pulsations qui animaient le fragment. L'objet semblait vouloir déchirer la peau qui le retenait pour s'envoler. Manaïl grogna et tenta tant bien que mal de respirer. Peu à peu, la douleur se résorba. Il resta un moment immobile, haletant, des sueurs froides coulant sur son visage et le long de son dos. Lorsqu'il se sentit assez bien pour bouger, il entra.

Le gonfanonier l'aperçut et lui demanda ce qu'il cherchait.

— Les chevaux du commandeur, répondit-il.

Le templier lui désigna les montures parmi les deux mille bêtes entassées dans les écuries.

Déjà, des dizaines d'écuyers étaient au travail, étrillant et nourrissant les trois chevaux auxquels chaque chevalier du Temple avait droit. Manaïl se dirigea vers Canaille. Il n'était qu'à mi-chemin lorsque le cheval l'aperçut et se mit à hennir. Un large sourire fendit le visage du garçon, qui courut en direction de la superbe monture noire, sa douleur oubliée. Il lui caressa le cou pendant que la bête lui couvrait les joues et la bouche d'un couche de bave bien épaisse. Manaïl rigolait en s'essuyant.

Avisant l'auge vide sur le sol, il commença par la remplir de foin. Puis, imitant l'écuyer le plus près, il étrilla Canaille à l'aide d'une brosse rêche jusqu'à ce que son pelage soit parfaitement lustré. Tout au long de l'opération, le cheval grogna de plaisir. Le garçon peigna ensuite sa crinière, puis fit quelques pas en arrière et admira son travail.

— Tu es vraiment magnifique, Canaille, murmura-t-il en le grattant derrière l'oreille.

Se remémorant l'élégance des cavaliers perses devant Babylone, il éprouvait tout à coup une puissante envie de s'asseoir sur cette bête et de partir au galop. Même s'il n'avait jamais monté, il était certain que Canaille ne ferait rien qui pourrait l'effrayer.

Au loin, une cloche sonna.

— Ho! Tu viens? Il ne faut pas manquer la messe de tierce[1]! s'écria le gonfanonier. C'est la règle.

Manaïl s'aperçut que les écuries étaient désertes. Tout le monde était déjà parti. « La règle... », psalmodia-t-il en soupirant. Il se rendit à la chapelle, où il assista aux prières et à la messe. Tout au long de l'étrange cérémonie, il singea de son mieux les gestes et les paroles des autres templiers pour passer inaperçu. Déjà, il connaissait le patenôtre et l'*Ave Maria* par cœur. Au nombre de fois où on les répétait chaque jour, les prières n'étaient guère difficiles à apprendre.

Une fois son devoir rempli, il retourna aux écuries. Sa douleur à la poitrine le reprit aussitôt. Il l'oublia en étrillant les deux autres chevaux du frère Enguerrand, sous le regard jaloux de Canaille qui aurait bien voulu être le seul bénéficiaire de ses bontés. Puis il graissa les trois selles, les étriers, les rênes et les éperons du commandeur.

Il venait de terminer lorsque la cloche retentit une nouvelle fois. Manaïl abandonna son travail et se rendit à la chapelle, où se tenait la prière de sexte[2]. Puis vint le repas du midi, pris au réfectoire et composé de pain,

---

1. Huit heures trente du matin.
2. Midi.

d'eau, de vin et d'un morceau de bœuf. Il mangea en silence au son de lectures tirées d'un livre sacré que les templiers appelaient « Bible ». Manaïl observait l'objet avec fascination, lui qui ne s'était pas encore fait à l'idée qu'on puisse écrire sur autre chose qu'une tablette d'argile. Il était incapable d'en détacher ses yeux, si bien qu'à la sortie du réfectoire, plusieurs templiers âgés le félicitèrent pour sa grande piété.

Après une nouvelle série de patenôtres, il se rendit à l'armurerie, où se trouvaient la lance de combat, la hache de guerre, la masse d'armes et l'arbalète du commandeur. Un des frères armuriers les lui désigna et il se mit au travail. Une fois la tâche accomplie, il retourna à la chapelle pour les prières de none, puis passa par l'hostel du commandeur pour y astiquer son épée, sa dague, son heaume et son écu. Il retourna à la chapelle pour les vêpres, puis au réfectoire pour le repas du soir, en tout point identique à celui du midi, de nouveau à la chapelle pour les complies[1], et, enfin, une dernière fois à l'étable pour nourrir les chevaux du commandeur.

Lorsque vint l'heure du coucher, Manaïl, étourdi par cette succession incessante de

---

1. Dix-neuf heures trente.

prières, de repas et de travail, s'effondra sur son lit, épuisé. Il négligea les patenôtres qu'on lui avait conseillé de réciter avant de dormir.

Le frère Enguerrand n'avait pas menti lorsqu'il lui avait promis une vie de serf! Il n'avait pas eu une seule minute à lui de toute la journée! Il voyait mal comment il parviendrait à se mettre à la recherche du fragment du talisman de Nergal s'il passait tout son temps à travailler et à prier. Il se surprit à regretter ses années d'errance dans Babylone alors qu'il faisait ce qu'il voulait. Mais le souvenir des mauvais traitements qu'on lui avait si souvent infligés tempéra rapidement sa nostalgie.

Il avait l'impression qu'il venait à peine de fermer l'œil lorsque le son des cloches le tira d'un lourd sommeil. Il faisait nuit noire. Quelques secondes plus tard, des coups résonnèrent à la porte de sa chambre.

— Matines! cria un frère de garde. C'est la règle!

Manaïl gémit. Encore des prières... Il se leva, passa ses chausses et son manteau en grommelant, murmura une prière à Ishtar dans le secret de sa cellule et sortit en bâillant. Après les matines, il aurait le droit de se recoucher jusqu'au second lever de prime. Puis la journée recommencerait, identique à la précédente.

✦

Dès qu'il fut habitué au rythme des journées à la templerie, Manaïl dut encore ajouter à ses tâches, car, quotidiennement, les templiers s'exerçaient au maniement des armes. À titre de frère servant et d'apprenti, il devait être formé rapidement afin d'être prêt au combat en cas de nécessité.

Lorsqu'il se présenta dans la cour pour son premier entraînement, il fut ravi de constater que son maître d'armes serait le frère Bérenger. Le sergent avait retiré son manteau et exécutait des grands moulinets avec son épée pour se réchauffer. Il avait pour tous vêtements une culotte qui lui arrivait aux genoux, des chausses en cuir et une chemise sans manches ni col, tachée de sueur, qui mettait en valeur des bras et des épaules à la musculature saillante et un torse au tour impressionnant.

Lorsqu'il aperçut le garçon, le frère sergent sourit et lui donna une longue épée. Manaïl la saisit et l'échappa presque, tant elle était lourde.

— Ha! Une épée templière est une arme d'homme, frère Maurin! s'esclaffa le sergent. Elle se manie à deux mains, comme ceci.

Un peu embarrassé, le garçon suivit l'exemple du frère Bérenger. Il mit les mains une par-dessus l'autre sur la longue poignée et la tendit devant lui. La longue lame d'acier faisait presque deux coudées et il peinait pour empêcher sa pointe de retomber vers le sol.

— Voilà qui est mieux, constata le frère sergent.

Il se mit à tourner lentement autour de Manaïl.

— Maintenant, poursuivit-il, souviens-toi que la clé de la survie réside dans l'efficacité. Sur le champ de bataille, un templier n'a pas de temps à perdre en finasseries. Notre règle exige que nous combattions jusqu'à trois adversaires à la fois sans tourner visage[1]. Pour rester en vie, nous ne devons pas être élégants mais efficaces. Chaque coup doit porter. Un templier frappe fort pour déstabiliser l'adversaire, vite pour le déjouer et avec précision pour l'achever sans délai.

Le sergent s'immobilisa et brandit son épée devant lui.

— En garde, annonça-t-il, un sourire amusé sur les lèvres.

Manaïl tendit son épée. Sans prévenir, le frère Bérenger se lança dans une attaque furieuse. Son épée décrivit un cercle au-dessus de sa tête, et s'abattit avec violence sur celle de Manaïl, qui recula d'un pas sous la

---

1. S'enfuir.

force du choc. D'un même élan, le sergent fit un tour complet sur lui-même et le garçon vit l'arme apparaître sur sa droite, sifflant dans l'air, parallèle au sol, à la hauteur de sa taille. Il eut à peine le temps de la bloquer pour ne pas être coupé en deux. Mais il n'avait pas prévu le croc-en-jambe que lui infligea le frère sergent et qui lui fit lever les deux pieds de terre. Il tomba lourdement sur le dos et, l'instant d'après, la pointe de l'épée de son adversaire était appuyée sur sa gorge.

— Trois coups. C'est tout ce qu'il m'aurait fallu pour te décoller la tête et t'envoyer en enfer, frère Maurin, gronda le sergent. J'aurais aussi pu te frapper l'épaule gauche et te détacher le bras, car tu tiens ton épée à droite. Sans un écu pour couvrir ta gauche, ce n'est guère prudent. Tu dois toujours la maintenir au centre en position défensive. Ainsi, il est plus facile de la faire pivoter pour protéger tes jambes et tes deux côtés. Mais au moins, je dois admettre que tu tiens solidement ton arme. Tu as déjà combattu, on dirait.

— Un peu oui, mais pas avec une arme de cette dimension, admit Manaïl en songeant à l'épée courte qu'il avait maniée sur la muraille de Babylone.

Le frère Bérenger lui tendit la main et l'aida à se relever.

— Allez. On recommence. En garde. Et rappelle-toi : tu dois viser le ventre pour étriper, le cou pour décoller, l'épaule et le genou pour estropier. Un adversaire navré[1] est aussi bon qu'un adversaire qui a rendu gorge[2]. Oublie la tête. Le heaume la protège. Et, par la barbe du Sauveur, frappe fort ! On ne perce pas une cotte de mailles avec des caresses !

Le sergent se relança à l'attaque, mais cette fois, Manaïl était prêt. Il absorba la force du premier coup et, au lieu de reculer, s'écarta d'un pas avant que le second ne le frappe. Entraîné par son élan, le frère Bérenger passa dans le vide et fut projeté vers l'avant. Bandant les muscles de ses épaules et de ses bras, Manaïl lui asséna un coup du plat de son épée sur le mollet droit.

Essoufflé, le frère Bérenger se redressa en riant.

— Tu apprends vite, jeune homme. Le mollet tranché, ton adversaire ne peut plus se déplacer. Il est à ta merci. En garde !

Le templier et l'Élu d'Ishtar escrimèrent ainsi pendant une heure interminable. Lorsque la cloche sonna l'appel à la prière, ils s'arrêtèrent, soufflant comme des taureaux.

---

1. Blessé.
2. Mort.

— Demain, même heure, haleta le frère Bérenger. Nous travaillerons encore l'épée et nous t'initierons à la masse d'armes. Ensuite, ce sera la hache. Lorsque j'en aurai fini avec toi, tu auras les épaules bien rondes!

Manaïl soupira. Tous les muscles de son corps lui faisaient mal et il ne pouvait pas s'imaginer recommencer le lendemain.

— Très bien, frère Bérenger, répondit-il pantelant.

Le sergent, satisfait, lui donna une grande claque dans le dos. Ensemble, ils se dirigèrent vers la chapelle.

LE MESSAGE

Les jours passèrent dans une succession effrénée d'obligations. Un matin, au sortir de la chapelle, Manaïl ne rêvait que d'une chose : dormir. Dans un état second, il retourna à sa cellule. Une fois sur place, il enleva son manteau et le lança sur la chaise sans même prendre la peine d'allumer la chandelle. Il avait mal partout. Il allait s'étendre pour quelques précieuses heures de sommeil avant les prières de prime lorsqu'il entendit des voix sous sa fenêtre ouverte. Intrigué, il jeta un coup d'œil à l'extérieur.

Éclairés par la lune, cinq templiers, l'air épuisé, traversaient la cour d'un pas traînant. L'un d'eux se tenait le bras et semblait souffrir. Leurs vêtements étaient souillés. Étonné, Manaïl se demanda ce qu'ils pouvaient bien faire là au lieu de dormir comme les autres. En les observant de plus près, il constata qu'il n'avait pas vu ces frères aux prières qui venaient de se terminer. L'omniprésente règle permettait-elle une telle entorse ? Si oui, il lui fallait trouver le moyen d'en profiter au plus vite !

Manaïl allait retourner vers son lit lorsqu'un des frères amorça une conversation. Sa curiosité l'emporta sur sa fatigue et il prêta l'oreille.

— J'en ai vraiment assez de creuser, grommela le templier. Toutes les nuits que Dieu nous donne, c'est pareil. Et pourquoi ? Personne ne nous dit rien. Il faut obéir, à ce qu'il paraît, même lorsque nos mains sont en sang.

— On raconte qu'un trésor est enfoui quelque part, répondit un autre. C'est peut-être ça que nous cherchons.

— Moi, je n'ai pas ce maçon musulman en très haute estime, dit le troisième. Il ne m'inspire rien de bon.

— Taisez-vous ! intima un autre. Vous devriez avoir honte de renier ainsi vos vœux ! Un templier obéit sans poser de questions. Le grand maître et le commandeur savent ce qu'ils font ! S'ils vous ordonnent de creuser, creusez !

— Cher frère Bruno…, répliqua le premier avec sarcasme. Tu es toujours si obéissant. Le parfait templier. Hugues de Payens serait fier de toi.

— Tais-toi, vil maraud, ou je te dénonce au chapitre !

La discussion cessa net et les cinq hommes s'éloignèrent. Intrigué, Manaïl ferma sa fenêtre sans bruit, se coucha et s'endormit aussitôt.

Dans sa cellule, Jubelo rageait. Les templiers étaient de plus en plus curieux à mesure que les travaux avançaient. Il devenait difficile de calmer leurs doutes, mais personne ne devait connaître la véritable raison des travaux. Ils étaient maintenant très près du but. Le tunnel atteignait presque l'emplacement du Saint des Saints. Il ne restait qu'à creuser verticalement et, sous peu, ils parviendraient à la voûte secrète qu'Hiram avait construite voilà plus de deux mille ans.

Entre-temps, il devait s'occuper de l'Élu.

Il était un riche marchand de Babylone. Allongé sur un monceau de coussins douillets, il mastiquait sensuellement les fruits savoureux et juteux que des esclaves lui mettaient dans la bouche pendant que d'autres lui lavaient les pieds et lui huilaient les cheveux. Il se sentait merveilleusement bien. Tout à

coup, une des esclaves se mit à lui lancer des figues. Tic! faisaient les fruits en lui frappant le front. Il se leva à moitié, excédé, et allait lui faire de sévères remontrances lorsqu'il comprit que la jeune fille était en réalité un templier barbu et costaud à l'air sévère. Le frère prit une figue et la lui projeta en plein front.

— *Aïe! s'écria Manaïl.*

Le garçon s'éveilla de mauvaise humeur. Un si beau rêve, si reposant, gâché par des figues… Il se frotta les yeux pour chasser le sommeil.

Tic!

Manaïl s'immobilisa et écouta attentivement. Le son semblait provenir de la fenêtre. Rien. Il se détendit et allait se rendormir lorsque le bruit se reproduisit.

Tic!

Il se leva d'un trait, se dirigea vers la fenêtre et l'ouvrit. Le petit homme qui l'avait approché le jour où il était entré dans Jérusalem se tenait en bas, de petits cailloux dans la main. Il avait dû le suivre jusqu'ici. Il parut soulagé de voir apparaître Manaïl à la fenêtre.

— Le Mage doit te parler, Élu, dit-il à mi-voix.

Le Mage. Enfin. Le cœur de Manaïl battait à se rompre dans sa poitrine.

— Attends-moi là. J'arrive tout de suite, murmura-t-il avec empressement.

Le petit homme regarda nerveusement d'un côté puis de l'autre pour s'assurer que personne ne venait. Dans la lumière de la lune, son visage luisait de sueur. Il semblait terrifié.

— Non. Pas maintenant. Demain, une heure après les complies, derrière la draperie.

— Comment le reconnaîtrai-je ? demanda Manaïl, un peu déçu par le délai.

— Il te posera une question à laquelle toi seul peux répondre correctement.

Le messager avait à peine fini sa phrase qu'il prit ses jambes à son cou et disparut derrière un bâtiment.

Manaïl se recoucha. Fébrile, il ne parvint pas à retrouver le sommeil malgré son immense fatigue. Il allait enfin rencontrer le Mage de ce *kan*. Le lendemain, peut-être, si Ishtar le voulait bien, il lui remettrait le fragment et il pourrait retourner dans le temple du Temps. Finie la règle des Templiers...

✦

Il attendit, tout habillé, que la journée de travail commence. Lorsque prime sonna, il se rendit à la chapelle. Il y fut un des premiers arrivés et le frère Enguerrand lui adressa un regard approbateur. Une fois les prières terminées, il allait sortir lorsque le commandeur l'interpella au passage.

— Frère Maurin ?

— Oui, commandeur ? répondit Manaïl en s'arrêtant.

— Ce soir, deux heures après les complies, rapporte-toi au frère Bruno près des écuries. Il a un travail important à te confier.

— Après les complies ? demanda Manaïl, horrifié. Mais c'est l'heure de dormir…

— On ne discute pas les ordres, frère servant ! gronda le frère Enguerrand. *ORA ET LABORA*[1]. Par la prière, tu appelles Dieu à toi et par le travail, tu tends vers lui. La vie d'un templier est une vie d'obéissance absolue ! Rappelle-toi l'obligation que tu as acceptée.

— Oui, commandeur… acquiesça le garçon, découragé, en baissant la tête.

Il arrivait à peine à dormir quelques heures dans l'horaire militaire de l'ordre et voilà qu'on amputait encore son sommeil.

Tout à coup, les choses s'annonçaient fort compliquées. Manaïl devrait faire vite pour aller à la rencontre du Mage après les complies. S'il parvenait à obtenir le fragment, il fuirait *illico* ce *kan* un peu fou où on travaillait tout

---

1. En latin : Prière et travail.

le temps. Sinon, il devrait se presser pour revenir à temps auprès du frère Bruno.

Manaïl l'ignorait, mais la prochaine étape de sa quête venait de s'enclencher d'une manière qu'il n'aurait pas pu prévoir.

RENCONTRE NOCTURNE

Le reste de la journée se déroula, comme la veille, en une interminable succession de prières et de travaux entrecoupée par des repas ternes et silencieux. En sortant des complies, Manaïl fut intercepté par le frère Bruno. Grand et élancé, la barbe courte et bien taillée, la musculature féline mais puissante, le templier avait un teint basané qui rappelait celui des habitants de cette contrée plutôt que la peau d'un croisé. Son regard était d'une rare intensité, saupoudrée d'un soupçon de fanatisme.

— Le commandeur t'a indiqué ta nouvelle assignation, frère Maurin ? lança le templier sans préambule.

— Oui, frère Bruno. Je dois me présenter à vous dans deux heures devant les écuries.

— Très bien. Et fais en sorte que personne ne te voie.

— Pourquoi ?

— On ne rechigne pas devant les ordres, frère servant!

«Ah oui... La règle...», se lamenta intérieurement Manaïl.

— Pardon, beau frère, dit-il.

— Ne sois pas en retard, ajouta le templier.

Rompu de fatigue, le garçon se traîna les pieds jusqu'à sa cellule. Craignant de s'endormir s'il s'allongeait, il préféra rester assis sur la petite chaise bancale et attendre que le temps passe. Il jouait distraitement avec la bague d'Ashurat en songeant à son maître, à la folle mission qui lui était tombée dessus, à la déesse Ishtar qui l'aidait de son mieux. Il avait beau avoir réussi à s'emparer du premier fragment et à vaincre Pylus et Arianath, il se demandait encore s'il était vraiment à la hauteur des espoirs qu'Ishtar avait placés en lui. Il avait l'impression d'avancer à tâtons dans le noir. Il se sentait seul, aussi. Terriblement seul.

Il attendit ainsi près d'une heure. Dans le dortoir, tout était calme. Il se leva, boucla sa ceinture et s'assura que son épée était bien en place. Puis il entrouvrit avec précaution la porte de sa cellule et passa la tête dans l'embrasure pour vérifier que la voie était libre. Satisfait, il sortit. Quelques minutes plus tard, il était dans la cour de la templerie. Il longea les bâtiments en évitant de s'approcher des murailles pour ne pas attirer l'attention des sentinelles. Il arriva bientôt en vue de la draperie. L'édifice de pierre à un seul étage était long et bas. Il le contourna en restant dans l'ombre. Une fois à l'arrière, il se tapit près d'un mur et attendit, la main sur la poignée de son épée, prêt à défendre sa vie s'il se retrouvait dans un guet-apens.

Un craquement dans le noir le fit sursauter. Il tira son épée, sur le qui-vive.

— Qui va là ? lança-t-il à mi-voix.

Un homme âgé de quelques années de plus que Manaïl émergea de la nuit. Une main levée en signe de paix, l'autre sur son cœur, il s'approcha. Ses vêtements étaient couverts de poussière et de terre. L'air anxieux, il regarda Manaïl droit dans les yeux.

— *L'Élu se lèvera, rassemblera le talisman et le détruira. Fils d'Uanna, il sera mi-homme, mi-poisson. Fils d'Ishtar, il reniera sa mère,* récita-t-il dans une langue d'oïl approximative. Puis il se tut sans quitter Manaïl du regard.

Pris de court, le garçon mit quelques secondes à reconnaître la prophétie des Anciens.

— *Fils d'un homme, d'une femme et d'un Mage, il sera sans parents. Fils de la Lumière, il portera la marque des Ténèbres. Fils du Bien, il combattra le Mal par le Mal,* compléta-t-il.

Le jeune homme sourit, visiblement soulagé, et se détendit. Il inclina la tête avec respect et se toucha le front de la main.

— *Assalamou alaykoum*[1], Élu, dit-il. Je m'appelle Hiram. Je descends en droite ligne du premier apprenti d'Hiram Abif, architecte du temple de Salomon. Depuis plus de deux millénaires, nous portons tous le prénom d'Hiram, en hommage au maître bâtisseur.

— Tu es le Mage d'Ishtar ? demanda Manaïl en rengainant son épée.

— Oui, répondit l'homme.

— Où se trouve le fragment ?

Hiram le regarda, interloqué.

— Le fragment ?

— Le fragment du talisman de Nergal, insista Manaïl. Si tu es vraiment le Mage, ta mission est de le protéger.

— Je ne sais rien de ce fragment ni d'un quelconque talisman, dit Hiram en écartant les mains en signe d'impuissance.

Manaïl observa les mains de son interlocuteur.

— Où est ta bague ?

— Quelle bague ? Je n'ai jamais eu de bague. Je suis bien trop pauvre pour posséder un bijou.

---

1. En arabe : Que la paix d'Allah t'accompagne.

Manaïl était troublé. Cet homme connaissait le texte de la prophétie des Anciens dont seuls les Mages et leurs apprentis possédaient le secret. « Les Mages et les Nergalii », se corrigea-t-il mentalement. Pourtant, il ne portait pas la bague des Mages et il ne savait rien du talisman de Nergal et de ses fragments.

— Pourquoi m'as-tu fait venir ici ? s'enquit-il avec méfiance.

— Pour que tu protèges le trésor de Salomon, Élu, répondit l'homme. Depuis la mort de maître Hiram Abif, voilà deux millénaires, les Mages veillent sur le temple. Notre tradition dit qu'un trésor est enfoui sous le temple et que nous devons monter la garde pour qu'il ne soit jamais découvert. Je suis maçon, comme mon père et son père avant lui, depuis la construction du temple. À la mort de mon père, voilà trois ans, je lui ai succédé comme maçon et comme Mage. Il était employé depuis presque trente années par l'ordre des Templiers, comme son père et son grand-père avant lui. Sur son lit de mort, il m'a fait prêter le serment des Mages et m'a révélé que les Templiers nous forçaient à les aider à creuser en secret sous les ruines du temple de Salomon, qui se trouvent elles-mêmes sous les écuries. Ils sont à la recherche du trésor de Salomon. Mes prédécesseurs ont fait de leur mieux pour ralentir leurs progrès. Ils ont provoqué des effondrements du tunnel, ils ont inventé toutes sortes de détours dans l'excavation, ils ont imaginé des difficultés. Mais les Templiers sont persévérants et ils ont presque atteint leur but. Je ne pourrai plus les ralentir très longtemps. Et voilà qu'Allah t'envoie à nous, Élu.

— Ton trésor ne me concerne pas, maçon. Ma mission est de retrouver les fragments du talisman de Nergal et de les détruire lorsque je les posséderai tous.

— Le trésor de Salomon va bientôt être découvert, répéta le jeune homme comme s'il n'avait rien entendu. J'ai accompli ma mission. Tu es l'Élu. À toi, maintenant, de réaliser la prophétie.

Manaïl devait se rapporter au frère Bruno d'ici peu. Si on s'apercevait qu'il errait dans la templerie à cette heure au lieu d'être dans son lit, quelqu'un invoquerait sans aucun doute l'omnipotente règle pour lui imposer une sanction. S'il se retrouvait confiné dans sa cellule, il n'avancerait guère dans la recherche du fragment. Il hocha la tête, dépité.

— Je vais songer à ce que tu m'as raconté, dit-il. Maintenant, je dois partir.

— Je t'aiderai de mon mieux, Élu. Si tu dois me parler, place une chandelle à ta fenêtre après la dernière prière de la journée. Je te rejoindrai ici à la même heure. En attendant, qu'Allah guide tes pas.

Il s'inclina respectueusement et recula jusqu'à ce que la nuit semble l'absorber. Perplexe, Manaïl resta un moment sans bouger. Puis il prit le chemin des écuries. Une mystérieuse tâche l'attendait.

LE PASSAGE SECRET

Manaïl se rendit aux écuries avec les mêmes précautions qu'il avait prises en chemin vers la draperie. Heureusement, les deux bâtiments étaient rapprochés l'un de l'autre et il y parvint sans encombre. Une fois sur place, il ne trouva personne. Il était sans doute un peu en avance.

Il attendit en repensant à Hiram et à ce supposé trésor sous le temple de Salomon qu'il prétendait protéger. Cet homme avait dit que lui et ses prédécesseurs se nommaient tous Hiram. Parmi les cinq disciples à qui le maître Naska-ât avait confié les cinq fragments du talisman de Nergal, il y avait un Hiram. S'agissait-il de ce maître constructeur auquel son interlocuteur avait fait allusion ? Si oui, peut-être que le trésor existait vraiment. Était-il possible qu'il s'agisse du fragment et que le maçon soit le Mage d'Ishtar ? Alors, comment pouvait-il connaître la prophétie tout en ignorant jusqu'à l'existence du talisman? Soit, plus de deux mille ans s'étaient écoulés depuis la construction du temple de Salomon. Les Mages avaient peut-être fini par oublier leur raison d'être. Mais auraient-ils pour autant omis de se transmettre la bague, symbole de leur mission sacrée? Comment Manaïl pouvait-il être certain qu'Hiram était le Mage de ce *kan* alors que la possession de la bague en était la seule preuve absolue?

Manaïl se sentait terriblement las. Il avait espéré faire des progrès et voilà qu'il n'avait rien d'autre entre les mains qu'un mystère tout embrouillé. Découragé, il s'appuya contre le mur de pierre des écuries et, s'abandonnant à la fatigue, ferma les yeux un instant. Aussitôt, la douleur se ranima dans sa poitrine. Il se plia en deux et se mordit les lèvres pour ne pas gémir, de crainte d'attirer l'attention. Il fit quelques pas en grimaçant et la douleur s'estompa peu à peu.

Il était à peine remis lorsqu'il entendit des pas sur la terre nue. Le frère Bruno et trois autres templiers marchaient en silence dans sa direction.

— Je vois que tu es fidèle au poste, frère Maurin, murmura le templier, l'air approbateur. Suis-nous.

Sans rien dire, Manaïl emboîta le pas aux quatre templiers, qu'il reconnut comme ceux qu'il avait vus sous sa fenêtre la nuit précédente. Seul manquait à l'appel celui qui s'était blessé au bras. Il en déduisit qu'on l'avait désigné pour le remplacer à une tâche qui demeurait inconnue. Le groupe contourna discrètement le bâtiment et s'arrêta le long du mur arrière. Les templiers s'écartèrent pour céder le passage au frère Bruno, qui s'approcha et appuya en séquence sur quelques pierres du bout du doigt.

Un grondement sourd retentit dans le silence de la nuit et une porte secrète, formée de pierres et de mortier, pivota sur elle-même, révélant un passage éclairé par des torches. Le frère Bruno fit un signe de la tête et les autres entrèrent. Manaïl les suivit.

Au même moment, un élancement pire que tous les précédents lui traversa la poitrine. Il se crispa et grimaça. Il sentit des sueurs froides lui couler le long du visage et dans le dos. L'espace d'un instant, il eut la sensation que le fragment avait déchiré la peau qui le retenait. Il serra les dents et pénétra dans le passage.

Lorsque le frère Bruno fut lui aussi à l'intérieur, il abaissa un levier de métal qui saillait du mur et la porte se referma. En silence, Manaïl et les quatre templiers avancèrent à la queue leu leu. Après quelques pas, la pente du sol s'accrut et Manaïl comprit que le passage descendait sous terre. Peu à peu, la pierre maçonnée céda la place à des parois de terre nue retenues par des armatures de bois, des poutres et des arcs-boutants qu'il fallait enjamber. À mesure que le groupe descendait, le froid augmentait. Bientôt, Manaïl remarqua que son souffle se transformait en vapeur devant sa bouche. Il jeta un coup d'œil sur les templiers qui ne paraissaient pas s'en inquiéter et se dit que ce devait être normal. Malgré son manteau et les vêtements qu'il portait en dessous, il frissonna.

◆

Manaïl et ses compagnons progressèrent pendant une dizaine de minutes puis le sol redevint horizontal. Ils aboutirent à l'intersection de deux tunnels et s'engagèrent dans celui de gauche. Au loin, des bruits de métal contre la pierre annoncèrent que leur destination était atteinte. Ils arrivèrent dans une petite pièce basse soutenue par des structures de fortune et éclairée par de nombreuses torches dont la fumée rendait l'air âcre et presque irrespirable. Le torse nu luisant de sueur malgré le froid, cinq hommes s'échinaient à creuser le sol à coups de pioche et de pelle. L'un des ouvriers aperçut les nouveaux arrivants et s'interrompit.

— La relève est arrivée! annonça-t-il aux autres.

Les cinq hommes laissèrent aussitôt tomber leurs outils sur le sol et s'empressèrent de se rhabiller, visiblement soulagés que l'on mette un terme à leur dur labeur. En un rien de temps, ils disparurent dans le tunnel, laissant Manaïl, le frère Bruno et les trois autres templiers à leur place. Sans rien dire, ces derniers ramassèrent une pelle ou une pioche et se mirent au travail. Incertain de la marche à suivre, Manaïl interrogea le frère Bruno du regard.

— Toi, tu viens avec moi, ordonna le templier en lui tendant une pioche.

Manaïl empoigna le lourd instrument et se le mit sur l'épaule. Le frère Bruno prit une torche, fit demi-tour et remonta le tunnel jusqu'à l'intersection qu'ils avaient croisée en descendant. Sans hésiter, il s'y engagea. Manaïl le suivit. Dans la faible lumière de la torche, ils marchèrent pendant une minute puis le frère Bruno s'arrêta. Quelques pas plus loin, le tunnel se terminait dans un cul-de-sac. Il plaça la torche dans un socle de fer fiché au mur puis se retourna vers le garçon.

— Tu creuses là-bas, dit-il en désignant le fond du tunnel. Il faut avancer d'au moins une demi-toise cette nuit. Deux, ce serait encore mieux.

Perplexe, Manaïl observa le tunnel. Des armatures de bois retenaient les parois et le plafond. Elles semblaient très vieilles et sur le point de s'effondrer.

— Vous êtes certain que c'est solide ? s'enquit-il avec inquiétude.

— Solide ? Mais bien sûr que c'est solide ! rétorqua le frère Bruno. Qu'est-ce que tu crois, jeune impertinent ? Allez, au travail !

Manaïl hésita et s'engagea dans le tunnel en faisant une prière silencieuse à Ishtar. La déesse ne pouvait choisir meilleur moment pour lui assurer sa protection.

Avant de partir, le frère Bruno posa une petite outre de peau près de la paroi.

— Si tu as soif, dit-il. Mais ne perds pas ton temps à boire.

Puis il s'éloigna d'un pas ferme sans se retourner.

SABOTAGE

Interdit, Manaïl s'immobilisa devant le mur de pierre et de terre au fond du tunnel. Il examina de plus près les charpentes de bois arrondies par le temps et sentit son cœur se serrer. Le frère Bruno avait beau prétendre le contraire, tout cela n'avait pas l'air très solide. L'armature du plafond semblait ployer sous le poids de la terre qu'elle soutenait.

Il inspira, secoua lentement la tête, défit sa ceinture et posa son épée par terre. Puis il haussa les épaules, se cracha dans les mains, empoigna la pioche et la leva par-dessus sa tête. Il en avait pour une partie de la nuit. Aussi bien commencer. Si la structure tenait le coup, évidemment.

Manaïl travailla sans relâche pendant plus d'une heure. Il avait beau frapper de toutes ses forces avec la lourde pioche, il arrivait à peine à détacher de minables petits éclats du roc solide qui s'élevait devant lui. Après une courte pause pour boire un peu et s'essuyer le front avec sa manche, il se remit à la tâche.

Il abattit sa pioche contre la paroi. Lorsqu'il la dégagea de la pierre, le sol trembla sous ses pieds. Quelques secondes plus tard, il entendit un grand fracas, suivi de cris et de gémissements. Quelque chose n'allait pas. Il laissa tomber l'outil, saisit la torche fichée au mur et ramassa son épée. Il s'élança vers la sortie en bouclant sa ceinture.

✦

Le frère Bruno et les autres templiers prenaient une pause lorsqu'un craquement sinistre retentit. Un grondement menaçant fit trembler les parois du tunnel, suivi par un vacarme assourdissant. Juste avant que la lumière des torches ne s'éteigne sous l'effet d'une bourrasque soudaine, ils virent un nuage de poussière envahir le tunnel.

✦

À l'intersection des deux tunnels, Manaïl fut enveloppé par la poussière âcre qui lui remplit les narines, la bouche et les yeux. Recroquevillé et en proie à une violente quinte de toux, il observa le bout de l'autre tunnel à travers un voile de larmes. Tout était noir et il régnait un silence de tombe. Il cligna des yeux, tendit sa torche devant lui et, terrifié, se releva. Il s'avança prudemment dans le tunnel. À tâtons, il s'approcha de la chambre où il avait laissé ses compagnons. Un amoncellement de pierre et de terre en bouchait l'entrée. Le tunnel s'était effondré et avait enseveli les quatre hommes, constata-t-il avec horreur.

Il allait planter sa torche dans le sol et essayer de dégager l'éboulement à mains nues pour porter secours aux malheureux lorsqu'on lui attrapa avec force la cheville. Manaïl sursauta et tenta de s'écarter mais sans succès. Sa cheville était emprisonnée. Tirant son épée, il abaissa sa torche pour voir de quoi il retournait. Dans la lumière entremêlée de poussière, le visage couvert de saleté du frère Bruno lui apparut. Le templier avait les jambes ensevelies sous les débris.

— Frère Bruno, vous êtes vivant, s'exclama Manaïl, soulagé.

Il rengaina son épée et souleva les pièces de bois et les pierres qui étaient tombées sur lui, puis le tira loin des gravats. Le frère Bruno s'assit péniblement en se massant la cheville et la bougea pour en tester l'état.

De nouveaux craquements résonnèrent dans le tunnel.

— Il faut sortir tout de suite avant que tout s'affaisse ! hurla le frère Bruno.

— Mais les autres ? On ne peut pas les laisser là.

— Ça ne servirait à rien. Ils sont déjà morts.

Le frère Bruno tenta de se relever mais poussa un hurlement de douleur et retomba sur le sol en grimaçant.

— Ma cheville. Elle est bien tordue.

Sans hésiter, Manaïl empoigna le templier, l'aida à se relever, passa son bras sous son aisselle et le soutint pour l'aider à marcher. Clopin-clopant, ils remontèrent le tunnel jusqu'à la porte secrète. Après avoir actionné le mécanisme, ils atteignirent l'air libre qu'ils respirèrent goulûment. Peu après, un des templiers qu'ils avaient laissés pour morts surgit par l'ouverture et s'affala sur le sol, haletant. Il râla pendant quelques instants puis ne bougea plus. Manaïl remarqua un filet de sang qui s'écoulait de son oreille.

— Cours alerter le commandeur, ordonna le frère Bruno.

— Mais vous êtes blessé. Il faut vous mener sur-le-champ au frère hospitalier, protesta le garçon.

— Fais ce que je te dis ! ragea le frère Bruno. Rends-toi chez le commandeur. N'avertis personne d'autre que lui !

— Très bien, acquiesça Manaïl, perplexe.

Le garçon prit ses jambes à son cou et se précipita vers l'hostel du commandeur qui, aussitôt prévenu, accourut en compagnie du frère hospitalier et de templiers munis de brancards. On porta les blessés à l'infirmerie et, bientôt, le calme revint dans la templerie.

Dans sa masure, le vieillard soupira de soulagement. Le *Mishpat* était sauf. Quelqu'un avait essayé de mettre fin à ses jours mais, par la volonté de Dieu, il s'en était sorti. Il n'en serait peut-être pas toujours ainsi. Il se pencha et agita les mains au-dessus de l'eau en murmurant une incantation. Il devait parler au *Mishpat* et lui révéler sa mission.

Dans sa cellule, allongé sur son lit, Manaïl tremblait de tous ses membres. L'aventure qu'il venait de vivre l'avait ébranlé. L'écroulement du tunnel était-il autre chose qu'un hasard? Quelqu'un avait-il tenté une nouvelle fois de l'éliminer?

Il finit par s'endormir. Dans ses rêves, quelqu'un l'appelait.

Mishpat… Mishpat…

Un vieillard chauve était assis à une table dans une chaumière miteuse et mal éclairée. Lorsque Manaïl entra, il se retourna. Sur son visage, la peau n'était qu'un tissu de rides. Il se leva péniblement en s'appuyant sur un bâton aussi tordu que son corps. Le dos voûté et déformé par une affreuse bosse, pieds nus sur des jambes d'une maigreur effrayante, le vieillard s'approcha en claudiquant. Il sourit et lui tendit une main aux jointures gonflées et aux doigts crochus prolongés par des ongles aussi longs que crasseux.

— Mishpat, *dit le vieillard d'une voix chevrotante. Tu as une mission importante à remplir. Tu dois détruire le Mal qui dort sous Jérusalem. Laisse-moi t'aider.*

— Êtes-vous le Mage de ce kan ? *demanda Manaïl en s'avançant vers le vieillard, dont les yeux pâlis par les années exerçaient sur lui une étrange attraction.*

— Non, *répondit le vieillard avant d'être interrompu par une violente quinte de toux.*

Il cracha un grumeau glaireux sur le sol, reprit son souffle et poursuivit.

— Le Mage a déjà croisé ton chemin, mais il est impuissant à t'aider. Moi, je le puis. Viens à moi, Mishpat. Nous devons nous unir. Nous menons le même combat.

Le vieillard agita la main en direction de Manaïl en murmurant des paroles dans une langue inconnue. Dans la tête du garçon, une image prit forme, d'abord floue, puis plus précise. Un pentagramme brillait d'une lumière glorieuse. Puis il se mit à tourner lentement sur lui-même et s'immobilisa la tête en bas. La lumière le quitta et fut remplacée par une émanation sombre dont se dégageait une malfaisance infinie.

Un visage émergea au centre du penta-gramme inversé. Le visage d'un homme à l'air serein, qui avait les yeux fermés et semblait dormir. Puis il ouvrit les yeux, découvrant des pupilles minces et verticales semblables à celles d'un chat, qui traversaient un iris jaune. Il regarda Manaïl et sourit. Ses lèvres laissèrent paraître des canines aiguisées. Puis il se mit à rire.

— Le Mal attend son heure sous les ruines du temple de Salomon, Mishpat, *dit le vieillard. Il doit être détruit.*

✦

Manaïl s'éveilla en sursaut. Il était en sueur et avait le souffle court. Pendant de longues secondes, il eut l'impression que l'affreux visage flottait devant lui.

« Nergal, songea-t-il. Pour la première fois, j'ai vu Nergal. »

LE MAGE

Manaïl avala sans enthousiasme le bouilli de mouton, le pain et l'eau qu'on lui avait servis. Le menu des templiers était d'une étonnante monotonie et les prières que l'on psalmodiait sans cesse pendant les repas n'arrangeaient rien. Quand il eut terminé, il se leva de table et se fraya un chemin jusqu'au commandeur. Il le rejoignit alors qu'il venait de sortir du réfectoire. Il lui demanda l'autorisation de rendre visite aux templiers blessés dans l'effondrement, qui se reposaient à l'infirmerie. Il lui promit de se rendre aux écuries tout de suite après et de bien faire son travail.

Fier de son courageux écuyer, le frère Enguerrand, qui semblait s'attendre à cette requête, acquiesça sans faire de difficultés.

— Voilà qui est bien charitable de ta part, jeune frère Maurin, dit-il en hochant la tête en signe d'approbation. Je vois que je n'ai pas fait une erreur en faisant de toi mon écuyer et un frère servant de l'ordre. Malheureusement, le frère Odon n'a pas survécu. Deux blessés ont déjà quitté l'infirmerie. Il ne reste que le pauvre frère Bruno, qui doit récupérer un peu. Ta visite lui ferait certes plaisir.

Le commandeur réfléchit un instant.

— En fait, tu es le seul qui en soit sorti indemne. On dirait bien que Dieu te protège, mon enfant, déclara-t-il. Va. Et si le gonfanonier te fait des misères parce que tu es en retard, dis-lui que tu as mon autorisation.

— Merci, commandeur, répondit Manaïl.

— Frère Maurin ? appela le frère Enguerrand avant qu'il ne soit trop loin.

— Oui ?

— Je t'autorise à visiter le frère Bruno tous les matins, après le repas, tant qu'il sera à l'infirmerie.

— Merci ! s'écria Manaïl en s'élançant au pas de course.

Manaïl traversa rapidement la cour intérieure de la templerie vers l'infirmerie. Après avoir été au centre de tant de violences et de morts, il se réjouissait à l'idée d'avoir sauvé une vie. À ses yeux, la guérison du frère Bruno revêtait tout à coup une grande importance. Il entra sans frapper et aperçut le templier étendu sur un lit au fond de la pièce, la cheville bandée. Il s'approcha à pas feutrés, craignant d'interrompre son sommeil. Mais il était réveillé. En l'apercevant, le frère Bruno lui sourit et lui tendit la main.

— Frère Maurin, s'exclama-t-il d'une voix ferme. Tu es bien bon de me visiter ainsi. Tu m'as sauvé la vie cette nuit et tu mérites toute ma reconnaissance. Dieu te le rendra au centuple.

— Ce n'est rien du tout, frère Bruno, répondit le garçon, gêné. N'importe qui aurait agi de la même façon. J'étais au bon endroit au bon moment, rien d'autre. J'aurais aimé pouvoir en faire autant pour le frère Odon.

— Ta modestie t'honore. Je dirai trente patenôtres à ton intention. Quant au frère Odon, tu ne pouvais rien pour lui.

— Je m'inquiétais un peu de votre jambe, reprit Manaïl pour changer de sujet. Vous sembliez avoir très mal cette nuit. Vous allez mieux ?

— Ma cheville était démise, mais on me l'a replacée, dit-il. Elle est encore très enflée mais, dans quelques jours, je serai capable de retourner à mes tâches.

Le visage du frère Bruno devint soudain très sérieux.

— Pour dire vrai, ma jambe n'a aucune importance, admit-il. Je dois te parler d'autre chose.

Il jeta un coup d'œil vers le frère hospitalier de service, qui observait d'un œil désapprobateur son patient se faire ainsi déranger.

— Frère Pélage, laisse-nous ! ordonna-t-il.

Vexé, l'hospitalier quitta la pièce. Satisfait, le templier reporta son attention sur Manaïl.

— Donne-moi la sacoche de cuir qui est sur la table, s'il te plaît.

Manaïl prit l'objet et le lui donna. Le frère Bruno l'ouvrit. Il en ressortit quelque chose sur lequel il ferma la main.

— Assieds-toi, dit-il.

Le garçon tira une chaise près du lit et s'y installa. Le frère Bruno tendit la main vers lui et l'ouvrit, un air grave sur le visage.

— Tu reconnais sans doute ce bijou, Fils d'Uanna, d'Ishtar, d'un homme, d'une femme, d'un Mage et de la Lumière, déclara-t-il. Tu portes le même. Pour ma part, j'ai jugé plus sûr de le retirer pour ne pas attirer l'attention des Nergalii mais, comme tu vois, il ne me quitte pas pour autant, comme l'exige mon serment.

Manaïl se figea. Dans le creux de sa main, le frère Bruno tenait une bague en tout point semblable à celle qu'il avait prise de la main déjà froide de son maître Ashurat. Celle qu'il portait lui-même au doigt. La bague des Mages d'Ishtar…

Profondément soulagé, Manaïl posa respectueusement un genou au sol, prit la main du frère Bruno et la baisa.

— Vous... Vous êtes le Ma... Mage de ce *kan* ? balbutia-t-il.

Le templier sourit.

— Je le suis, affirma-t-il en penchant solennellement la tête. Je suis le successeur en droite ligne de maître Hiram, à qui Naska-ât confia jadis la responsabilité d'un des cinq fragments du talisman de Nergal. Depuis deux millénaires et plus d'un siècle, mes prédécesseurs et moi avons veillé sans relâche afin de protéger le fragment des desseins malfaisants des Nergalii.

— Mais... Mais... Comment ?... bredouilla Manaïl. Pourquoi... pourquoi ne pas vous être manifesté plus tôt ?

— J'ai senti ta présence il y a quelque temps déjà, mais ce n'est que lors de ton initiation que j'ai aperçu la bague que tu portes. Dès lors, j'ai su que l'Élu d'Ishtar était parmi nous. Mais tu es aussi l'écuyer du commandeur de la cité de Jérusalem et moi, je ne suis qu'un simple chevalier du Temple. J'espérais te prendre à part et te parler cette nuit, dans le secret du tunnel, mais... tu sais ce qui m'en a empêché.

Manaïl avait du mal à croire ce qu'il entendait. Alors qu'il avait l'impression de tourner en rond dans ce *kan*, le Mage se présentait tout à coup à lui en toute simplicité. Il pencha la tête et loua en silence la bonté d'Ishtar.

— Mais alors, qui était cet homme, hier soir ? demanda-t-il soudain en redressant la tête.

— Un homme ? Mais de qui parles-tu ?

— Voilà deux jours, un homme m'a fait transmettre un message. Il disait que le Mage désirait parler à l'Élu. Je l'ai rencontré hier soir derrière la draperie, juste avant d'aller vous rejoindre. Il connaissait la prophétie des Anciens. Il disait s'appeler Hiram et être le descendant de la lignée des apprentis du constructeur du temple de Salomon. Mais il ne portait pas la bague et ne savait rien du talisman de Nergal.

Manaïl lui raconta dans le détail sa conversation avec le maçon.

— Hmmm... réfléchit le frère Bruno en se frottant le menton. Voilà qui est étrange...

— Il a dit qu'il était maçon et que les templiers le forçaient à consolider le tunnel qu'ils creusaient sous le temple de Salomon, précisa Manaïl.

— Hiram le maçon ? *Notre* Hiram ? Ça alors... Ça explique tout.

— Que voulez-vous dire ?

— C'est sans doute lui qui a provoqué l'effondrement du tunnel la nuit dernière.

— Mais pourquoi aurait-il fait ça ?

— Pour m'empêcher d'atteindre le fragment, j'imagine.

— Quoi ? Vous ne l'avez pas en votre possession ? s'exclama Manaïl. Comment est-ce possible ? Le Mage doit toujours veiller sur le fragment.

— Ne crains rien, Élu. Je veille, comme tous ceux qui m'ont précédé. Ton homme disait vrai : lors de sa construction, maître Hiram a enfoui le fragment sous le temple de Salomon. Depuis, les Mages voient à ce qu'il y reste, bien en sécurité. Après que le temple a été détruit par les soldats de Titus, en l'an 70 de notre ère, ils ont continué à veiller sur les ruines. Sous des tonnes de pierre et de sable, il était en sécurité. Malheureusement, l'arrivée des templiers en Terre sainte a tout changé. Ils se sont mis à fouiller les ruines du temple. Les Mages ont fait de leur mieux pour les retarder. Mais les Templiers sont convaincus qu'ils trouveront là un trésor d'une richesse infinie. Comme ils sont cupides et qu'ils ne posséderont jamais assez d'or et de pierres précieuses, ils ont persévéré.

Manaïl se raidit. Tout devint clair La douleur qu'il ressentait parfois à la poitrine… Elle se manifestait toujours lorsqu'il était à proximité des écuries parce que c'était là que le fragment était caché ! Celui qu'Ishtar avait enchâssé dans sa poitrine réagissait lorsqu'il s'en trouvait un autre à proximité! Le frère Bruno disait vrai.

— Mais y a-t-il vraiment un trésor sous le temple, ou s'agit-il seulement du fragment? s'enquit-il.

Le frère Bruno haussa les épaules.

— Je crois bien que oui. Dans ce *kan*, une légende raconte que le roi Salomon a déposé dans ce temple un trésor à nul autre pareil qui incluait les Tables de la Loi que le dieu d'Israël a données à Moïse. Mais ce qui importe pour toi et moi, c'est que le fragment s'y trouve aussi. Je suis entré dans l'ordre des Templiers pour être là lorsqu'ils atteindront le trésor. Dans leur excitation devant des monceaux de richesses, ils ne remarqueront certainement pas la disparition d'un petit triangle de métal. Maintenant que tu es là, Élu, nous pourrons faire équipe pour nous en emparer.

— Si Hiram le maçon est un Nergali, il n'avait aucune raison de provoquer l'affaissement du tunnel. Ce qu'il désire, c'est le récupérer avant moi.

Le frère Bruno se frotta de nouveau le menton, songeur. Il réfléchit un moment, haussa les sourcils et reprit.

— Je ne crois pas... Le fragment, il pourra toujours le retrouver. Il lui suffira de creuser, dans ce *kan* ou dans un autre. Par contre, en provoquant l'écroulement du tunnel, il pouvait s'assurer que l'Élu soit enseveli à jamais, dit-il en vrillant un regard entendu dans celui de Manaïl.

Le cœur serré par une angoisse soudaine, Manaïl comprit où le templier voulait en venir.

— C'est donc moi que ce sabotage visait… murmura-t-il.

— J'en ai bien peur. Et je crois que tu ne seras en sécurité que lorsque tu auras éliminé pour de bon ce Nergali. Ensuite, seulement, nous pourrons nous assurer de la possession du fragment et te permettre de poursuivre ta quête. Ainsi, ma tâche sera accomplie. Ashurat ne sera pas mort en vain.

— Vous avez raison, frère Bruno, approuva le garçon. Et je sais comment y parvenir.

Manaïl se retourna et sortit en trombe de l'infirmerie. Il devait retourner à ses tâches d'écuyer. Mais lorsque la nuit serait venue, il savait exactement ce qu'il ferait.

En passant la porte, Manaïl percuta de front le ventre rebondi mais ferme comme le roc du frère Enguerrand. Il perdit l'équilibre et se retrouva presque sur les fesses.

— Eh bien, frère Maurin! tonna le commandeur en souriant. En voilà des façons! Je sais que tu m'as promis de courir aux écuries dès que tu aurais visité le frère Bruno, mais il n'est pas nécessaire de me passer sur le corps, par la barbe du Baptiste!

Manaïl reprit son élan et contourna le templier sans s'arrêter.

— Mes excuses, frère Enguerrand, dit-il en regardant droit devant lui.

Le commandeur le regarda s'éloigner, perplexe.

— Tudieu! Il m'a l'air de fort mauvaise humeur, en ce bon matin, notre jeune frère servant… se dit-il à lui-même. Le choc de cette nuit, sans doute… Ou alors, il est bien empressé d'aller étriller mes chevaux…

Le frère Enguerrand entra dans l'infirmerie et referma la porte. Il s'approcha du lit où reposait le frère Bruno, prit une chaise et s'assit près de lui.

— Quel retard cet accident va-t-il causer, d'après toi, frère Bruno? s'informa-t-il sans détour, une contrariété peinte sur le visage.

— Si nous affectons une dizaine de frères au déblaiement des débris et à la reconstruction des structures, deux jours tout au plus. Cela n'a touché que l'espace sous lequel se trouve la voûte secrète.

— Cet abruti de maçon est vraiment un incapable, ragea le commandeur. Comme ses prédécesseurs avant lui, tout ce qu'il construit s'écroule tôt ou tard. Je crois que dorénavant, nous devrions nous passer de ses services.

— Quelque chose me dit qu'après les événements de la nuit dernière, il n'osera plus se montrer le bout du nez, déclara le frère Bruno avec un sourire énigmatique.

Le frère Enguerrand se leva.

— Bon. Au moins, les dommages ne sont pas irréparables. Tu connais comme moi l'importance de parvenir sans délai à la voûte d'Hiram, frère Bruno.

— N'ayez crainte, commandeur. D'ici quelques jours, cette maudite cheville sera comme neuve. En attendant, je superviserai les travaux sur des béquilles s'il le faut. Bientôt, le trésor de Salomon sera entre les mains de l'ordre du Temple.

— Que Dieu t'entende, beau frère… dit le commandeur. Que Dieu t'entende… Je crains fort que le temps nous soit compté.

Satisfait, le commandeur inclina la tête et prit congé du frère Bruno.

LA COLÈRE DE L'ÉLU

Toute la journée, Manaïl travailla sans décolérer. Cet imposteur l'avait mené en bateau et avait essayé de le tuer. Pire encore : à cause de lui, le Mage d'Ishtar était presque mort sous les décombres du tunnel. Un templier innocent y avait perdu la vie et trois autres avaient été blessés. Manaïl en avait assez. Il était le fils de la Lumière, disait la prophétie des Anciens. Alors, pourquoi sa vie était-elle si noire ?

Il étrilla les chevaux du commandeur avec une vigueur inhabituelle que Canaille sembla particulièrement apprécier. Puis il astiqua si bien les armes du frère Enguerrand que lorsqu'il eut terminé, elles luisaient comme jamais auparavant. Au fil de la journée, il prononça chacune des nombreuses prières les dents serrées. Son estomac noué l'empêcha de manger au point qu'un frère lui demanda s'il jeûnait pour expier ses péchés.

Après les complies, Manaïl se retira dans sa cellule. Lorsque la nuit fut tombée sur Jérusalem, il posa une chandelle sur le rebord de sa fenêtre. Il avait quelques heures à attendre. Il les passa à aiguiser le double tranchant de son épée.

✦

Lorsque Manaïl arriva derrière la draperie, Hiram le maçon l'y attendait déjà. Il chiffonnait nerveusement sa chemise et transférait son poids d'une jambe à l'autre en tournant sans cesse la tête de tous les côtés. Sans prévenir, Manaïl sortit de la pénombre.

— Te voilà! lança-t-il, un rictus de mépris lui déformant les lèvres.

Hiram sursauta.

— Élu, prononça-t-il, le souffle court. Tu m'as fait peur. Tu m'as mandé. Que... Que puis-je faire pour toi?

Sans prévenir, Manaïl dégaina son épée et s'avança vers le maçon qui, saisi de crainte, recula contre le mur. Il lui appuya la pointe de l'arme sur la gorge et pesa juste assez pour y faire perler une goutte de sang.

— On dirait que tu as vu un revenant... gronda Manaïl. Tu ne t'attendais peut-être pas à me revoir vivant?

— Que veux-tu dire ? demanda l'homme, tremblant de peur. Pourquoi m'attaques-tu ainsi ? Ai-je fait quelque chose qui t'a déplu ?

— Tu as provoqué l'écroulement du tunnel la nuit dernière. Tu voulais me tuer ! Imposteur !

— L'effondrement ? Oui, bien sûr, c'est moi… Je t'avais dit que… que je t'aiderais de… mon mieux, balbutia Hiram. J'ai tenté de retarder les templiers… une fois de plus. Je voulais… Je voulais protéger le trésor de Salomon ! J'ignorais que tu te trouverais sous les ruines cette nuit-là, je te le jure ! *Hanan*[1] !

— Tu as le serment bien facile, Nergali, cracha Manaïl avec mépris. Tu prétends être le Mage de ce *kan*, mais tu ne possèdes pas la bague. Tu connais la prophétie des Anciens, mais tu ne sais rien du talisman de Nergal et des fragments perdus. Me prends-tu pour une outre qu'on remplit à volonté ? Tu voulais ma mort, oui !

Hiram avait les lèvres tremblantes et les yeux écarquillés par la peur.

— Je ne comprends pas, se défendit-il en se poussant le plus possible contre le mur pour ne pas avoir la gorge percée par l'épée. Je suis le Mage, comme mes ancêtres avant moi.

---

1. En arabe : Pitié.

Comme eux, je protège le trésor de Salomon…
Je t'ai dit tout ce que je sais… Je te le jure sur
la tête de mes ancêtres! Si tu dois me tuer,
Inch'Allah[1]…

Le regard de Manaïl s'assombrit d'une
fureur noire.

– Tes ancêtres ne valaient pas mieux que
toi! C'est à cause de vomissures dans ton genre
que mon maître est mort, Nergali. Maintenant,
par ma main, il connaîtra la vengeance! Et si
jamais tu rencontres cette ordure de Mathupolazzar en enfer, transmets-lui les salutations
de l'Élu d'Ishtar!

Manaïl enfonça l'épée de toutes ses forces.
Il sentit à peine la résistance que lui opposè-
rent les cartilages de l'imposteur.

✦

Étendu sur le sol, Hiram le maçon sentait
un liquide chaud remplir sa gorge, mais ne
s'en inquiétait pas. Il avait l'impression que
son corps et lui faisaient deux et éprouvait
une douce insouciance face à l'épée ensanglantée que l'Élu venait de retirer de son cou.
Il ne ressentait pas le besoin de respirer. Il
était parfaitement calme.

---

1. En arabe: Si Dieu le veut.

Des mots de la prophétie apprise sur les genoux de son père lui revinrent en mémoire. *Fils du Bien, il combattra le Mal par le Mal.* L'Élu était un être bon mais le Mal faisait partie de lui. Hiram l'avait senti dès le début. Peut-être était-ce là le prix à payer pour mener à terme une mission aussi ingrate ? Un voile noir s'abaissa lentement devant ses yeux. Allah l'appelait. Il lui offrit son sacrifice. Il le rejoindrait sous peu avec le sentiment du devoir accompli. La dernière chose que vit Hiram fut le visage de l'Élu, déformé par la haine. En ce qui le concernait, la prophétie des Anciens était accomplie.

✦

Dans sa chaumière, le vieil homme était troublé par la scène qu'il venait d'observer. Le maçon gisait sur le sol, la gorge tranchée. Cet individu n'était pas un allié, loin de là, mais il s'agissait néanmoins d'un homme bon qui avait rempli son devoir de son mieux. Le voir mourir ainsi, pour rien, lui brisait le cœur. Comment le *Mishpat* avait-il pu prendre ainsi une vie, sans le moindre scrupule ? Il était l'envoyé de Dieu. Il ne devait pas faire le Mal mais le chasser de Jérusalem et établir à jamais le royaume du seul vrai dieu. Était-il possible qu'il soit si cruel ? Fallait-il le Mal pour combattre le Mal ? Le Bien n'était-il pas assez puissant pour y arriver ? Le dieu d'Israël était un dieu vengeur, soit. Mais à ce point ?

Il devait faire confiance à Yhwh, comme toujours. Malgré sa cruauté, le *Mishpat* était sur la bonne voie. Demain, il le ferait venir à lui. Pour le moment, le vieillard devait se reposer. Toute cette magie était en train d'épuiser ses dernières forces

Il passa des mains tremblantes au-dessus de l'eau en récitant une incantation d'une voix brisée. L'image s'effaça.

EN CAVALE

Cette nuit-là, Manaïl ne parvint pas à fermer l'œil. Sa colère apaisée avait laissé place au déchirement. Il ne regrettait pas d'avoir assassiné le Nergali. Il était l'Élu d'Ishtar et la mission qui lui avait été imposée exigeait de lui qu'il soit sans pitié pour ces êtres immondes. Pourtant, l'idée qu'il avait sciemment mis un terme à une vie humaine, même dénuée de valeur, le troublait. Le Nouvel Ordre était contraire à la volonté des dieux. Chaque fois qu'il effaçait un Nergali de la surface de la terre, il en rendait l'avènement un peu moins probable. Combien de vies innocentes sauverait-il ainsi ? Des milliers ? Des millions ? Plus encore ? Mais pour cela, il devait mettre fin à des vies créées par le dieu Anu, le dieu du Ciel des Babyloniens lui-même. N'était-ce pas là aller à l'encontre de la volonté divine ?

Comme l'exigeait la règle des Templiers, il se rasa la tête pour en débarrasser les cheveux qui commençaient à repousser. Puis il réfléchit. Assis sur son lit, il observa ses mains. Elles étaient moites et tremblaient légèrement. Il avait tué de sang-froid. Et il avait aimé cela. Il était secoué, oui, mais il ne regrettait rien.

Il assista distraitement aux prières des matines et de prime puis mangea sans appétit avant de se diriger vers l'infirmerie d'un pas décidé. Dès qu'il entra, le frère Bruno se redressa sur son lit, son visage trahissant son anxiété. Manaïl s'approcha de lui en silence.

— C'est fait, déclara-t-il d'une voix sombre. Le Nergali ne nous embêtera plus.

Le frère Bruno hocha la tête, satisfait.

— Tu as bien rempli ta mission, Élu, dit-il. Même si elle exige parfois de toi des gestes qui te répugnent, tu dois demeurer fidèle à Ishtar, qui t'a choisi entre tous.

— Je sais… répondit Manaïl avec tristesse. Mais cette mission m'a déjà coûté si cher. J'ai vu mon maître mourir. J'ai été battu, blessé, menacé, trahi… Tant de gens sont morts autour de moi en si peu de temps. Et on essaie sans cesse de me tuer. Je ne sais pas combien de temps je pourrai continuer. Parfois, j'aimerais n'être qu'un garçon ordinaire.

Le frère Bruno s'assit sur son lit et posa affectueusement la main sur l'épaule du jeune homme, le visage empreint de compassion.

— Allons, le raisonna-t-il. C'est fait maintenant. Ton travail dans ce *kan* est presque achevé. Personne ne peut plus nous empêcher de retrouver le fragment. Ensuite, tu pourras suivre ton chemin et moi, je saurai que j'ai accompli ma mission.

Manaïl soupira en penchant la tête.

— Va, maintenant, poursuivit le frère Bruno, et ne songe plus à tout cela. Demain, les templiers auront dégagé le tunnel. Quant à moi, je peux marcher de nouveau et je quitterai l'infirmerie dans l'heure. La douleur est presque disparue. Sous peu, nous nous remettrons au travail. Tu verras, ensemble, l'Élu et le Mage réussiront. Comme on dit dans ce *kan*, *Audaces fortuna juvat*[1]. D'accord?

— D'accord.

L'esprit un peu plus tranquille, Manaïl prit congé du frère Bruno et s'en alla vers les étables. Une autre longue journée de labeur l'attendait. Mais il prit le temps de remercier Ishtar de lui avoir révélé la présence de son véritable Mage. Maintenant, il n'était plus seul. La déesse avait peut-être du mal à se

---

1. En latin: La fortune sourit aux audacieux.

manifester dans ce *kan*, mais elle lui avait envoyé un guide.

✦

Penché au-dessus de son bol, le vieillard observait la scène qui se déroulait sur la surface de l'eau. Il s'apprêtait à entrer en contact avec le *Mishpat*. Il avait déjà tenté de l'atteindre dans ses rêves, mais son appel était demeuré sans réponse. Le vieil homme aurait bien voulu pouvoir se rendre au *Mishpat*. Pour cela, il lui aurait fallu traverser à pied le quartier juif, puis le quartier chrétien. Depuis longtemps déjà, son corps ne supportait plus de tels efforts. Sa masure était tout son univers et il ne voyait plus l'extérieur qu'à travers sa magie. Il faudrait donc que le *Mishpat* vienne jusqu'à lui. Cela obligerait le vieil homme à employer une magie plus puissante et plus exigeante. L'effort qu'elle lui demanderait serait immense mais il n'avait guère le choix. Il était le dernier sage d'Israël à connaître l'existence du Mal qui dormait sous Jérusalem. Il n'avait pas vécu plus de cent ans, à perfectionner sans cesse ses pouvoirs, le nez dans ses vieux grimoires, pour échouer maintenant que Yhwh lui envoyait enfin celui qu'il avait tant attendu.

Le vieillard inspira, sa respiration sifflant de façon sinistre, se concentra et se mit au travail.

✦

Manaïl avait fini d'étriller les deux chevaux blancs du frère Enguerrand. Ses gestes avaient été mécaniques. Toujours déchiré entre des sentiments contradictoires face aux événements de la nuit, il n'y avait pris aucun plaisir. Le frère Bruno disait vrai : au moins, maintenant, le Nergali était hors d'état de nuire. Et il ne doutait pas que le fragment du talisman se trouvait sous les ruines du temple. Les élancements cruels qui lui déchiraient la poitrine chaque fois qu'il approchait des écuries en étaient la preuve. Il ne restait plus qu'à creuser et le tour serait joué. Il pourrait enfin quitter ce *kan* auquel il ne comprenait rien et emporterait avec lui ses mauvais souvenirs.

Manaïl avait gardé Canaille pour la fin. Lorsqu'il s'approcha d'elle, la bête, qui anticipait le brossage énergique qu'elle aimait tant, se mit à frémir sur place. Voyant cette réaction, Manaïl sourit et sentit la bonne humeur renaître un peu en lui. Il lui caressa le nez et la crinière. Cet animal était presque son âme sœur. Depuis la première fois qu'il l'avait vu, il s'était senti bien en sa présence. Il aurait tant aimé pouvoir faire une promenade sur Canaille...

Il brossait le cheval depuis quelques minutes lorsqu'une voix le fit sursauter.

— *Mishpat*...

Manaïl se retourna vivement mais ne vit rien de spécial. Les écuries grouillaient de leurs activités habituelles. Autour de lui, les autres écuyers étaient affairés à leurs tâches. Perplexe, il haussa les épaules et reprit son travail. Bientôt, il devrait encore aller prier ce dieu qu'il ne connaissait pas et il voulait avoir terminé avant.

— *Mishpat!*

Cette fois, Manaïl sursauta et en échappa la brosse. La voix était forte et autoritaire. Elle semblait émaner de partout à la fois. Il eut beau chercher, il ne vit personne. Sur ses gardes, il se retourna vers Canaille pour reprendre ses activités mais n'y parvint pas.

Un étrange engourdissement s'était emparé de lui. Ses paupières devinrent lourdes et ses bras tombèrent le long de son corps. Il se sentait rempli d'une paix surnaturelle et avait l'impression qu'un voile avait été abaissé sur sa conscience, comme si on l'avait ensorcelé.

— *Mishpat*? fit une voix nasillarde.

Dans sa torpeur, Manaïl releva lentement la tête. Il fut à peine étonné de constater que la voix provenait de Canaille.

— *Monte sur moi, Mishpat*, ordonna le cheval noir en piaffant d'impatience. *Hanokh doit te parler.*

— D'accord... répondit Manaïl d'une voix monocorde.

— *Dépêche-toi*, insista Canaille. *Le temps presse.*

— Oui... J'arrive...

Manaïl enfourcha Canaille et s'agrippa avec indolence à sa crinière. La monture hennit, se cabra et se mit en marche. Ensemble, ils sortirent des écuries et s'éloignèrent au galop.

✦

Dans la cour intérieure de la templerie, Jubelo se livrait à un exercice de combat matinal en compagnie d'un groupe de frères. Il appréciait ces assauts simulés qui constituaient un exutoire pour une agressivité qu'il devait sans cesse contenir. Mais surtout, on allait pouvoir recommencer à creuser. Le but était proche. Peut-être même l'atteindrait-il cette nuit.

Soudain, tout se figea. Le coup d'épée que Jubelo allait parer s'était interrompu. Son adversaire était immobile, une grimace d'effort sculptée sur le visage. Interdit, Jubelo abaissa prudemment son arme et poussa du bout des doigts sur celle de l'autre templier. Elle ne bougea pas d'une ligne. Le Nergali l'empoigna à pleine main et tenta de l'écarter sans plus de résultat. Il recula de quelques enjambées et regarda autour de lui. Partout, des combattants étaient statufiés dans les poses guerrières de leur entraînement. Le temps s'était arrêté.

L'Élu était sans doute à l'origine de ce phénomène, conclut Jubelo. Il avait déjà démontré l'étendue de son pouvoir lorsqu'il avait évité le carreau d'arbalète qui lui était destiné et qui avait plutôt frappé le frère Guillaume. Mais il l'avait fait sans le vouloir, parce qu'il avait peur. Pourquoi l'utilisait-il maintenant ? Quelque chose s'était-il produit ?

◆

Autour de Manaïl, les nombreux bâtiments du complexe fortifié défilèrent les uns après les autres. À demi conscient, le garçon constata que les frères étaient paralysés dans leurs activités de la journée. Un frère servant entrait dans la chavestrerie avec, dans les bras, deux selles qui devaient être réparées. Devant la parementerie, les frères étendaient des manteaux fraîchement teints pour les faire sécher. Les vêtements s'étaient immobilisés alors qu'une légère brise les gonflait. Plus loin, à l'extérieur du magasin, le forgeron, le marteau au-dessus de l'enclume, avait cessé de battre le fer pour en faire des éperons.

Le temps était suspendu. Et Manaïl n'avait rien à voir avec le phénomène.

Le cavalier et sa monture passèrent sans ralentir devant ce décor surréaliste et parvinrent devant les portes massives de la templerie. Deux templiers s'étaient figés en train de les ouvrir pour laisser entrer un chariot rempli d'étoffes multicolores. Manaïl et Canaille se faufilèrent à l'extérieur et s'engagèrent dans les rues de Jérusalem.

✦

Jubelo s'arrêta net. Filant comme le vent sur un cheval noir, quelqu'un venait de franchir les portes de la templerie.

LA RUE DES MENDIANTS

Depuis leur départ, Canaille n'avait plus dit un mot. Il se contentait de suivre au trot un trajet qui semblait tracé d'avance. Manaïl s'accrochait mollement à sa crinière et, bercé par la démarche de sa monture, observait avec détachement les alentours. Depuis son arrivée dans ce *kan*, il n'était pas ressorti de la templerie. Dans l'étrange torpeur où il se trouvait, il prenait plaisir aux scènes qui lui rappelaient les rues de Babylone.

Partout sur sa route, les habitants de Jérusalem étaient comme pétrifiés. Ici, un drapier vantait avec conviction la qualité de sa marchandise à une cliente à la moue dubitative. Là, deux enfants jouaient, arrêtés dans leur course, le sourire aux lèvres. Plus loin, un porteur d'eau ployait sous le poids des deux grosses chaudières qu'il tenait en équilibre sur un joug déposé sur ses épaules.

Ailleurs, un marchand d'épices était en train de puiser dans une cruche avec une mesure pour servir un acheteur qui lui tendait un sac de cuir. Sur le bord d'une rue, des hommes étaient engagés dans une discussion et gesticulaient avec conviction sous le regard désapprobateur d'une vieille marchande de fruits dont ils masquaient l'étal. Manaïl leva les yeux vers le ciel. Les ailes déployées, un oiseau suspendu en plein vol décrivait une magnifique arabesque. C'était Jérusalem au complet qui s'était arrêtée. Une main invisible semblait avoir interrompu l'écoulement des grains dans le sablier de l'univers.

Manaïl et Canaille déambulèrent ainsi dans les rues du quartier chrétien, puis s'engagèrent dans le quartier juif, où des scènes similaires se succédèrent. Lorsqu'ils débouchèrent dans une rue située à sa périphérie, Canaille ralentit sa marche. Manaïl comprit qu'ils arrivaient à destination.

Dans cette rue, les choses étaient bien différentes. Tous ceux que Jérusalem avait rejetés, tous les faibles qui n'y avaient pas leur place, tous les défavorisés et les mal en point, semblaient s'y être regroupés pour partager leur misère. La pauvreté ambiante lui rappelait les quartiers les plus mal famés de Babylone, qu'il avait longtemps fréquentés. Les maisons n'étaient que de fragiles masures de fortune qui tombaient en ruine. Le long des rues, des mendiants vêtus de haillons étaient assis par terre, tendant la main pour quémander une aumône piteuse qu'aucun des habitants n'avait le moyen de leur offrir. Certains étaient âgés, d'autres jeunes. Tous étaient d'une maigreur pathétique. Plusieurs, mutilés ou couverts de plaies, étaient étendus sur le sol poussiéreux, les yeux vitreux, et semblaient attendre la mort qui leur refusait son soulagement. Manaïl reconnut sur l'un d'eux, dépourvu de nez, de lèvres et de paupières, les symptômes terribles de la lèpre, cette maladie qu'il avait vue de si près sur Noroboam l'Araméen. Mais, même le souvenir angoissant de son tortionnaire, qui lui avait entaillé un pentagramme sur la poitrine, n'entama pas sa torpeur.

Manaïl et sa monture défilèrent lentement devant le pitoyable spectacle de la misère humaine. Ils arrivèrent en vue de la muraille de la cité. Devant eux se trouvait une porte massive, semblable à la porte Saint-Étienne. Elle était ouverte et à l'extérieur, Manaïl aperçut des montagnes de détritus que des ouvriers entassaient dans des chariots à l'aide de pelles en bois. Amusé, il se remémora ce que le frère sergent Bérenger avait raconté au sujet de la porte des Immondices lors de leur entrée à Jérusalem. Ces gens allaient porter les ordures de la ville pour les brûler plus loin, dans la vallée de la Géhenne.

Canaille hennit et s'arrêta devant une cabane de fortune, sans fenêtres, avec pour toute porte un vieux rideau sale et déchiré.

— *Nous sommes arrivés*, annonça le cheval. *Je t'attendrai ici.*

Manaïl descendit de sa monture et lui caressa distraitement le museau. Il s'approcha, écarta le rideau et entra sans la moindre appréhension.

À l'extérieur, le temps attendait toujours l'autorisation de reprendre son cours normal.

✦

Dans le *kan* où se trouvait Manaïl, Jubelo n'était pas le seul à ne pas être affecté par la mystérieuse interruption du temps. Assise parmi les autres mendiants, une vieille femme défigurée et difforme était restée soigneusement immobile pendant que le garçon et sa monture étaient passés devant elle. Elle ne devait pas se faire remarquer.

Ses cheveux blancs crasseux masquaient un amas de cicatrices violacées qui lui couvraient la moitié droite du visage et déformaient ses lèvres en une parodie de sourire. Le dos voûté, d'une maigreur squelettique, elle tendait la main comme les autres mendiants et l'effort qu'elle devait faire pour tenir le bras bien droit étirait cruellement les blessures anciennes qui zèbraient son dos.

Elle ignorait qui avait bien pu réussir ce tour de force. Même pour les Nergalii, traverser le voile du temps était si difficile. L'Élu possédait, lui aussi, le pouvoir de contrôler le temps, mais à une échelle si réduite qu'il n'aurait jamais pu accomplir un tel prodige. Elle ne pouvait s'empêcher d'admirer celui qui possédait une maîtrise aussi spectaculaire des Pouvoirs Interdits. Mais le fait qu'un tel maître existât dans ce *kan* la plongeait aussi dans une grande inquiétude. Elle n'était plus qu'une loque immonde. Jamais elle ne serait en mesure d'affronter un tel magicien si jamais la situation l'exigeait. Mais rien ne disait qu'on en viendrait là. Pour le moment, seuls lui importaient l'Élu et les deux fragments du talisman de Nergal.

De son seul œil valide, la vieille mendiante avait observé subtilement le garçon qui passait devant elle sur un magnifique cheval noir au port altier. Manaïl. Elle avait eu peine à contenir sa fébrilité. Elle n'était dans ce *kan* que depuis quelques jours et déjà, elle avait retrouvé l'Élu. Les choses se déroulaient mieux qu'elle avait osé l'espérer. Après son long purgatoire à Parsagadès, après toutes ces années d'esclavage et de mauvais traitements sans doute imposées pour la punir de son lamentable échec, Nergal la bénissait de nouveau de ses faveurs. Dans Sa mansuétude infinie, Il lui donnait une chance de se racheter.

À la vue de Manaïl, la joie et la rage s'étaient affrontées en elle et, pendant un instant, elle n'avait pu dire laquelle l'emporterait. Il lui avait fallu faire appel à toute sa détermination pour ne pas se jeter immédiatement sur lui et le déchirer en morceaux avec ses ongles avant de lui arracher les yeux. Mais elle devait garder la tête froide. Du coin de l'œil, elle avait regardé Manaïl écarter le rideau de la cambuse crasseuse puis y entrer.

La Belle de Parsagadès avait attendu longtemps. Maintenant qu'elle était de retour, elle pouvait bien patienter un peu. Elle aurait sa revanche. Elle aurait les fragments. Elle aurait la gloire.

Manaïl était maintenant disparu à l'intérieur. Elle se leva et s'approcha de la masure. Les murs étaient minces et pleins de trous. Elle n'aurait aucune difficulté à écouter ce qui s'y disait.

HANOKH LE MAGICIEN

Le dos au rideau qui tenait lieu de porte, Manaïl, l'air béat, observa l'intérieur de la masure. La pièce unique était éclairée par quelques chandelles. La lumière qui dansait sur les murs faisait scintiller les étoiles blanches, le croissant de lune et le soleil qu'on avait peints sur le plafond. Il y régnait une forte odeur de saleté, de fumée, de moisissure et d'épices. Une multitude d'insectes virevoltaient dans les airs, remplissant la pièce de leurs bourdonnements. Sans y penser, Manaïl en chassa quelques-uns de la main.

Dans un coin, une vieille paillasse défoncée gisait à même le sol. Sur les murs, des tablettes croulaient sous le poids de vieux grimoires dont les couvertures étaient retenues par des lanières de cuir. D'autres portaient des pots débordant d'herbes, de poudres étranges et de liquides multicolores, des pilons de bois et des mortiers de terre cuite. Les rares surfaces libres des murs étaient couvertes d'une écriture étrange et gracieuse composée de courbes et de points. Dans des cages posées par terre se prélassaient avec indifférence des serpents, des lézards, des oiseaux, des araignées et des scorpions. Au centre de la pièce, sur une vieille table bancale, se trouvaient un bol et un pichet en terre cuite, un morceau de pain rassis, quelques fruits séchés et un grimoire ouvert. Tout près, des pierres étaient disposées en forme de pentagramme. Sur le sol brûlait un feu dont la fumée s'accumulait au ras du plafond pour s'échapper par une petite ouverture vers l'extérieur.

— Bienvenue dans mon humble demeure, *Mishpat*, grinça une voix glaireuse à l'accent prononcé.

Manaïl porta son regard vers le fond de la pièce. Un petit homme se tenait dans l'ombre. En s'aidant d'un bâton, il fit quelques pas vers l'avant en boitant, s'inclina avec difficulté devant le garçon puis se redressa. L'individu paraissait aussi vieux que la Création. Tel un vêtement trop grand, sa peau flasque pendait sur son corps. Son crâne chauve parsemé de taches de vieillesse était encadré par deux grandes oreilles que de lourds anneaux de métal étiraient vers le bas. Ses bras décharnés étaient parés de nombreux bracelets de métal qui tintaient au moindre mouvement.

Il portait pour tout vêtement un pagne crasseux qui exposait ses côtes saillantes, son dos
déformé par une grosse bosse et ses jambes
arquées aux jointures enflées. Mais les yeux
du vieillard, d'un bleu aussi perçant qu'un
ciel d'été, pétillaient d'une énergie et d'une
jeunesse qui étaient l'antithèse de son apparence extérieure.

Le vieil homme pencha la tête sur le côté
et, sans rien dire, sourit à pleine bouche,
révélant des gencives édentées. Dans sa torpeur, Manaïl le toisa et lui rendit son sourire.
Il le reconnaissait. C'était l'homme dont il
avait rêvé voilà quelques jours.

Le vieillard ferma les yeux et son visage se
plissa de concentration. De sa main libre, il
fit un petit geste dans les airs en marmonnant
quelques mots dans une langue inconnue.
Aussitôt, Manaïl sentit se lever la torpeur
dans laquelle il était plongé depuis son départ
des écuries. Ahuri, il tourna la tête dans tous
les sens en tentant de comprendre par quelle
sorcellerie il avait abouti dans cet endroit. Ce
qu'il avait cru être un rêve était bien réel.
Canaille l'avait conduit jusqu'ici, où l'attendait ce vieillard à l'allure repoussante.

Le souvenir de Noroboam l'Araméen et de
sa terrible lame resurgit en lui tel un éclair
aveuglant. Il dégaina son épée d'un geste
fluide et la brandit devant lui, prêt à défendre

227

sa vie. Cette fois-ci, il saurait la vendre chèrement. Personne ne le mutilerait à nouveau.
Sans prévenir, il fit un moulinet avec son
arme et l'abattit de toutes ses forces sur le
vieillard en hurlant.

Sans perdre son sourire serein, l'homme
leva tranquillement un index difforme pro-
longé par un ongle jaunâtre. Une lumière
blanche en illumina l'extrémité. La lame de
son épée se posa doucement contre le doigt
du vieillard, telle une plume touchant le sol.
Bouche bée, le garçon observa le phénomène
sans comprendre.

— Range cet instrument avant de blesser
quelqu'un, Manaïl, ordonna calmement le
vieil homme. Tu n'en as pas besoin ici.

Stupéfié, Manaïl regarda le mystérieux
vieillard. Cet homme aurait dû l'appeler Maurin
de l'Isle. Pourtant, il connaissait son nom
babylonien. Comment le pouvait-il alors que,
dans ce *kan*, l'Élu lui-même ne parvenait pas
à le prononcer? Le vieillard sourit à pleines
gencives et souffla sur son index. La lumière
s'éteignit comme la flamme d'une chandelle.

— Comment… Comment me connais-tu?
balbutia Manaïl, toujours méfiant, en abais-
sant son arme. Qui es-tu? Par quel maléfice
m'as-tu fait venir jusqu'ici?

Le vieil homme leva des mains déformées
par l'arthrite et l'âge.

— *Shalom alekhem*[1], dit-il. Calme-toi, *Mishpat*. Je me nomme Hanokh. Je ne suis qu'un vieux magicien et je ne te veux aucun mal. Comme toi, je désire retrouver ce qui est caché sous le temple de Salomon. Je t'ai fait venir jusqu'à moi pour que nous puissions conclure l'Alliance sacrée annoncée jadis par les prophètes.

L'esprit encore embrumé par le sort qu'on lui avait jeté, Manaïl tentait d'organiser ses idées. Une Alliance ? Le secret sous le temple de Salomon ? Cet homme faisait-il référence au fragment du talisman de Nergal ? Comment pouvait-il en connaître l'existence ? Était-il un Nergali ? Après tout, il y avait eu plus d'un Nergali à Babylone. Pourquoi pas à Jérusalem ? Ou était-il plutôt le Mage de ce *kan* ? Mais alors, qui était le frère Bruno ?

Avec effort, le vieillard claudiqua vers la table. Il appuya son bâton contre le bord, prit le pichet qui s'y trouvait et, d'une main incertaine, versa de l'eau dans le bol jusqu'à ras bord.

— Approche-toi, dit-il en lui tendant la main.

Troublé, Manaïl hésita.

— Allons, *Mishpat*, insista le vieillard. Notre temps est compté. Bientôt, le Mal émergera de sous le temple. Nous devons faire vite.

—————
1. En hébreu : La paix soit avec toi.

Manaïl vint près de la table mais demeura méfiant.

— Voilà qui est mieux, ricana Hanokh. Pour un guerrier dont l'arrivée a été prophétisée depuis la nuit des temps, tu es bien peureux! Regarde. Ensuite, nous discuterons de l'Alliance Sacrée.

Hanokh passa les mains au-dessus de l'eau en murmurant quelque chose d'incompréhensible. Un nuage sombre se forma aussitôt dans le liquide, qui s'obscurcit petit à petit comme si on y avait versé de l'encre noire. La surface se trouva bientôt lisse comme un miroir. Hanokh s'écarta en silence, désigna le bol d'une main osseuse et fit signe à Manaïl d'approcher.

— Vois, déclara-t-il.

Toujours sur ses gardes, Manaïl se pencha au-dessus du bol, cligna des yeux et se concentra pour tenter de discerner ce que le magicien voulait lui montrer. Il constata avec étonnement que des images floues semblaient flotter à la surface de l'eau. Puis, tout s'emballa et il fut emporté par un tourbillon. Incapable d'arracher son regard de l'eau, il se retrouva prisonnier de scènes qui se succédaient à un rythme endiablé: sa famille, heureuse à Babylone; l'irruption des gardes du roi qui emmenaient son père; l'orphelin affamé qu'il avait été, en butte aux mauvais traitements, errant dans les rues de Babylone; Arianath, envoûtante de beauté, lui apparaissant dans la procession de la fête de la fertilité; l'agression terrible de Noroboam l'Araméen qui lui entaillait un pentagramme inversé sur la poitrine; la demeure d'Ashurat, où il s'était éveillé; les longues discussions avec son maître, près du feu; l'attaque des Perses contre Babylone et les combats déchaînés sur la muraille; la montagne de cadavres dans laquelle il avait dû se terrer pour survivre; son maître agonisant sur le sol; le combat contre Pylus; l'outrage qu'il avait fait subir au cadavre d'Ashurat; la douloureuse trahison d'Arianath; la dépouille de son maître, le visage ensanglanté mais paisible... Toute sa vie défilait dans un modeste bol d'eau.

Médusé, Manaïl releva lentement la tête. Hanokh le regardait en souriant.

— Je t'attends depuis longtemps, jeune homme, dit-il d'un ton solennel. Par la volonté de Yhwh, le dieu d'Israël, que vous, chrétiens, appelez Jéhovah, notre rencontre était annoncée depuis la nuit des temps. Tu es le *Mishpat*, venu de Babylone pour détruire le Mal qui dort sous le temple de Salomon.

Le vieillard s'inclina encore une fois devant Manaïl, qui ne savait comment réagir.

— Et moi, je suis le *Tsedeq*. Je dois t'aider à remplir ta mission.

Perplexe, Manaïl le regarda sans comprendre. Le magicien poursuivit.

— Une très ancienne prophétie dit qu'un jour, le Mal sera chassé pour toujours de Jérusalem et que le royaume de Yhwh, le dieu des Hébreux, y sera rétabli à jamais. Israël deviendra un temple spirituel dont la voûte reposera sur deux piliers : le puissance guerrière du *Mishpat* et celle, magique, du *Tsedeq*. Je suis le dernier des *Tsedeq*. Je t'ai attendu pendant plus d'un siècle. J'ai bien cru que je mourrais avant que tu arrives. Mais nous voilà enfin réunis : le *Mishpat* et le *Tsedeq* !

— Je ne sais rien de cette prophétie, ni de ce *Ma... Mash...* protesta Manaïl.

— *Mishpat*, corrigea Hanokh.

— *Mishpat*, reprit le garçon. Ma mission, je dois l'accomplir seul.

Le magicien hocha la tête en signe de désapprobation.

— Attention à ton orgueil, *Mishpat*. Il pourrait te perdre...

Hanokh posa son index sur le torse de Manaïl et le promena lentement sur le fragment qui y était encastré. Au toucher du vieillard, l'Élu sentit le fragment tressaillir en lui. Terrifié, il recula. Comment cet homme pouvait-il savoir qu'il portait en lui un fragment du talisman de Nergal ? Ce secret n'était connu que de lui et de la déesse Ishtar...

— Ta puissance est grande, Manaïl, dit Hanokh en vrillant son regard bleu dans les yeux du garçon. Très grande. Déjà, tu portes le Mal en toi. Le sacrifice qu'on te demande est immense. Et cruel.

Hanokh prit doucement les mains de Manaïl dans les siennes et les leva devant ses yeux. Du bout d'un doigt, il effleura les membranes qui ornaient sa main gauche.

— Tu portes la marque des Anciens…

De l'autre main, il fit rouler la bague des Mages d'Ishtar autour du majeur de Manaïl.

— … et tu détiens un joyau rempli d'un grand pouvoir qui m'est inconnu.

Hanokh approcha son visage à quelques doigts de celui de Manaïl, qui grimaça à l'odeur fétide de son haleine.

— Je t'observe depuis longtemps. Déjà, tu as affronté le Mal et tu as survécu. Tu lui feras face plusieurs fois encore. Mais que feras-tu lorsque tu croiras avoir vaincu ? demanda le magicien. Sais-tu même comment détruire le Mal que tu portes en toi ? Ou seras-tu condamné à l'endurer jusqu'à la fin des temps ?

Manaïl baissa la tête, soudainement embarrassé de n'avoir jamais songé à la manière de détruire le talisman de Nergal s'il parvenait à en rassembler les cinq fragments. Il avait été si pris dans la succession des événements qu'il ne s'était même pas posé la question. Si personne ne lui enseignait comment faire, sa quête aurait-elle été menée en vain?

— Non..., admit-il, penaud. Je ne le sais pas... Personne ne me l'a encore dit.

Hanokh lâcha les mains de Manaïl et recula de quelques pas. Tout en fixant intensément le garçon, il écarta les bras.

— Ma destinée est de t'éclairer sur ta mission et de t'enseigner comment détruire le Mal. Mais je ne peux le faire sans ton consentement. Acceptes-tu mon aide, *Mishpat*?

Manaïl était déchiré. Cet homme étrange semblait tout savoir de lui. Son pouvoir était immense. N'avait-il pas interrompu le cours du temps? Les paroles d'Ishtar lui revinrent en mémoire. *Dans ce* kan *se trouvent un Mage, deux ennemis et un sauveur*, avait-Elle dit lorsqu'Elle lui était apparue sous la forme de la Vierge. Ses deux ennemis étaient déjà éliminés. Le Hashshasin était mort sous la torture et il avait lui-même ouvert la gorge d'Hiram, le Nergali. Il avait aussi retrouvé le Mage en la personne du frère Bruno. Il ne restait qu'à découvrir le sauveur. Hanokh était-il celui-là? Si oui, il venait de faire un pas de géant dans sa quête.

Manaïl ferma les yeux et inspira profondément pour se calmer. Jusqu'ici, la déesse lui

avait été fidèle. Elle ne l'avait jamais abandonné. Il devait lui faire confiance. Il invoqua
la protection d'Ishtar et prit une décision.

— J'accepte ton aide, déclara-t-il.

— Excellent! s'exclama Hanokh en se frottant les mains.

Hanokh s'approcha de lui et lui tendit la
main.

— Donne-moi ta main gauche, dit-il.

Manaïl hésita.

— Allons, *Mishpat*. Si tu acceptes l'Alliance
que je te propose, tu dois me faire confiance.

Après une dernière seconde d'hésitation,
Manaïl obtempéra. Le magicien la prit dans
la sienne et l'ouvrit, la paume vers le haut. Il
y posa l'ongle long et sale de son index droit
et l'y enfonça brusquement. Le garçon vit
l'ongle pénétrer sa chair mais ne ressentit
aucune douleur. En murmurant, Hanokh traça
un signe.

— Par l'étoile de David, roi tout-puissant
du peuple d'Israël et père de Salomon, je te
fais *Mishpat*. Que la force de Yhwh t'accompagne dans ta mission.

Manaïl sentit une douce chaleur s'insinuer
dans le creux de sa main. Lorsque Hanokh
retira enfin son ongle, il la ramena vers lui et
la regarda. Là où aurait dû se trouver une
blessure sanglante, il ne vit qu'une étoile. Le

symbole était composé de deux triangles entrelacés dont le tracé blanchâtre comme une vieille cicatrice se détachait sur sa peau. Exactement le même que celui se trouvant sur la porte du temple du Temps qu'il avait franchie pour aboutir dans ce *kan*.

— Ceci est l'empreinte de Yhwh, déclara le magicien d'un ton solennel. Pour toujours et à jamais, elle fera partie de toi. Observe-la. Le triangle qui pointe vers le haut représente l'élément masculin de l'univers et le feu. Celui qui pointe vers le bas, l'élément féminin et l'univers. Ensemble, ils forment une étoile qui symbolise l'essence de la Création de Yhwh. Comme la Création repose sur le Bien, la marque vient en aide à ceux qui ont le cœur pur.

Manaïl tâta l'étoile du bout du doigt. Elle donnait l'impression d'avoir été tracée à la craie et ne lui faisait pas mal. Seule la peau avait été un peu décolorée. Il soupira. Au rythme où se déroulaient les choses, il serait bientôt couvert d'étoiles de toutes les sortes...

— Le *Mishpat* doit s'emparer du Mal sous le temple de Salomon, poursuivit Hanokh. Lorsque tu l'auras trouvé, prends-le avec ta main gauche. L'étoile de David te permettra de résister à son pouvoir.

— Les templiers atteindront bientôt la voûte secrète enfouie sous les ruines du temple, dit

Manaïl. Lorsqu'ils trouveront le trésor, j'en profiterai pour le leur subtiliser. Dès ce soir, je tenterai de le faire avec le frère Bruno.

Le magicien hocha la tête.

— Non, *Mishpat*. Le Mal qui dort sous le temple est puissant. Tu dois creuser seul.

— Le frère Bruno est le Mage d'Ishtar. Je peux lui faire confiance. Et de toute façon, les templiers creusent en équipe. Il y a toujours quelqu'un avec moi.

— Rien n'est impossible, *Mishpat*, rétorqua le magicien. Le moment venu, invoque le principe féminin de Yhwh. Joins les mains et répète trois fois le mot *Shekhinah*. J'accomplirai ce que tu ne sais pas encore faire afin que tu puisses creuser tranquille.

— *Shekhinah*… répéta Manaïl.

— Attention ! s'écria Hanokh. Tu ne dois prononcer l'invocation à voix haute que lorsque tu auras besoin de son pouvoir ! Quand tu auras le contrôle du Mal, tu dois sans faute me l'apporter. Ne le dis à personne. Seuls toi et moi devons être dans le secret. Je t'enseignerai alors comment le détruire. Ainsi, tu posséderas les connaissances dont tu as besoin pour achever ta mission.

Hanokh empoigna le bâton posé contre la table et se dirigea vers la porte. Il allait écarter le vieux rideau lorsqu'il fut pris d'une faiblesse et tituba. Il s'appuya le dos contre le mur, un rictus d'épuisement sur les lèvres. Un filet de bave lui coulait le long du menton. Il porta la main à son front et laissa échapper un petit rire gêné.

— Maintenant, tu dois partir, *Mishpat*. Arrêter le temps est très exigeant et, même si mes pouvoirs sont grands, leur limite est atteinte. Remonte sur le cheval. Il te ramènera sain et sauf. Et n'oublie pas : les mains jointes et trois fois *Shekhinah*. Je t'attendrai. D'ici là, *shalom*[1].

Le vieillard ferma les yeux et fit un petit geste de la main en murmurant une incantation. Aussitôt, Manaïl sentit descendre sur lui la torpeur dans laquelle il était venu jusqu'à cet endroit. Tel un automate, il se dirigea vers Canaille, qui l'attendait patiemment, l'enfourcha et prit le chemin du retour.

✦

Près du mur de la masure de Hanokh, la vieille de Parsagadès regarda Manaïl s'éloigner sur son cheval. L'air préoccupé, l'Élu semblait indifférent à son entourage.

Il ne servait à rien de le suivre. Elle savait, maintenait, qu'il reviendrait. Elle l'attendrait.

---

1. En hébreu : Paix.

RETOUR AU PRÉSENT

Lorsqu'il sentit que le temps reprenait enfin son cours normal, Jubelo réussit tout juste à retrouver sa position initiale devant son adversaire d'entraînement qui était en train d'attaquer. La lourde épée s'abattit sur la sienne avec une violence qui le fit reculer. Il avait perdu sa concentration et se gronda intérieurement. Il aurait pu y laisser sa peau et se faire tuer bêtement, si près du but…

Jubelo secoua la tête. Il allait contre-attaquer lorsque la cloche appela les frères pour les prières de tierce. Comme tous les templiers qui s'entraînaient, il remit son épée dans son fourreau et prit la direction de la chapelle. Les autres étaient essoufflés et en sueur mais pas lui.

Jubelo était inquiet. Plus que jamais, le temps pressait.

✦

Au loin, la cloche de la chapelle venait de tinter. Le son distant déchira le voile qui séparait Manaïl de la réalité. On appelait les templiers à la prière. Le bruit des armes qui s'entrechoquaient à l'entraînement des chevaliers s'estompa puis cessa.

— Eh, là-bas! résonna au loin la voix du gonfanonier. Cesse de rêvasser, frère Maurin! Tu vas manquer tierce!

Manaïl battit des paupières comme quelqu'un qui s'éveille d'un profond sommeil. Un élancement cruel traversa sa poitrine et finit de le ramener à lui. Ahuri, il comprit qu'il se trouvait dans les étables. Une brosse à la main, il était immobile, le bras tendu au-dessus de Canaille, qui semblait attendre que son écuyer favori se décide à l'étriller. Il ramena la brosse devant son visage et l'examina comme s'il la voyait pour la première fois. Dans sa tête, de vagues images prenaient lentement une forme familière. Canaille qui lui parlait et qui l'emmenait à travers Jérusalem... Une rue pleine de mendiants miséreux... Une masure crasseuse et puante... Un vieillard à l'air millénaire... Hanokh... Un bol d'eau à la surface duquel les moments marquants de sa vie avaient défilé en accéléré...

Une ancienne prophétie qu'il ne connaissait pas... Le *Mishpat* et le *Tsedeq*... Le moyen de détruire le fragment... La triple invocation qu'il devait prononcer pour faire arrêter le temps... *Shekhinah*...

— Euh... J'arrive, frère gonfanonier, balbutia-t-il. J'arrive tout de suite...

Manaïl appuya une main sur la croupe de Canaille et secoua la tête. Avait-il rêvé tout éveillé? Il y avait si longtemps qu'il n'avait pas bien dormi. Depuis la bataille sur la muraille de Babylone, tout se bousculait sans une seconde de répit. En plus, il vivait dans une peur constante et il devait composer avec des blessures. Il était au bord de l'épuisement aussi bien mental que physique. Mais au point d'avoir des hallucinations tout éveillé? Il se frotta le visage. Élu d'Ishtar ou pas, il devait vraiment trouver le moyen de se reposer pour refaire ses forces. Sinon, il tomberait de lui-même avant d'achever sa mission.

Pourtant, ce rêve avait paru si réel... Manaïl remonta la main gauche pour la passer sur son crâne rasé. Il s'arrêta net et la ramena devant ses yeux. Dans le creux se trouvait l'étoile de David...

Il posa la brosse sur le sol près de la chaudière d'eau qu'il oublia de vider, négligea de caresser le museau de Canaille et sortit.

✦

Après tierce, le frère Bruno rejoignit Manaïl en boitillant.

— Ce soir, derrière les étables, murmura-t-il sans s'arrêter. Si tout va bien, nous trouverons ce que nous cherchons.

Manaïl le regarda s'éloigner et éprouva un éclair de culpabilité. Cette nuit, il allait devoir tromper un Mage d'Ishtar — un de ceux dont la mission était de veiller sur un fragment au prix de leur vie pour que lui, l'Élu, puisse un jour en prendre charge.

Il se raisonna en se rappelant que sa mission avait priorité sur tout le reste et qu'en respectant l'Alliance avec Hanokh, il ne ferait aucun mal au frère Bruno. Au contraire, s'il s'emparait seul du fragment, loin de le trahir, il le préserverait du danger. Mais, dans son for intérieur, il aurait préféré jouer franc jeu. Ce fut le souvenir des immenses pouvoirs du vieux magicien qui parvint à confirmer que sa décision était la bonne. Il devait apprendre comment détruire le talisman. Le succès de sa quête avait prépondérance sur tout le reste.

SHEKHINAH

Après ce qui parut comme une éternité à Manaïl, la nuit finit par tomber. Avec elle, la tranquillité enveloppa la templerie. Une nouvelle fois, la dernière, espérait-il, l'Élu quitta subrepticement sa cellule. Lorsqu'il parvint aux étables, quatre templiers, parmi lesquels se trouvait le frère Bruno, l'attendaient. Le garçon était ambivalent. Les choses auraient été tellement plus simples si le Mage n'avait pas été là. Ou s'il avait pu le mettre dans le coup. Mais les conditions de Hanokh étaient claires : il devait maintenir un secret absolu. Il n'avait pas le choix.

— Un peu plus et tu étais en retard, frère Maurin, lui reprocha le frère Bruno en fixant sur lui un regard si intense qu'il brillait presque dans le noir.

— Mes excuses, répondit Manaïl, la tête basse. Je voulais être certain de ne pas être vu.

Le frère Bruno se retourna vers les autres.

– Allez, vous autres! Au travail! ordonna-t-il sèchement. Nous n'avons pas de temps à perdre.

En silence, les frères soldats contournèrent les écuries, l'un d'eux portant sur son épaule une outre de peau remplie d'eau dont ils auraient besoin pour humecter leurs gorges irritées par la poussière et étancher leur soif. Le frère Bruno ouvrit discrètement la porte secrète et ils s'engouffrèrent sous terre. Le seuil à peine franchi, Manaïl grimaça et dut s'attarder derrière les autres. Une fois de plus, la douleur dans sa poitrine était telle qu'il lui fallut toute sa volonté pour ne pas tomber à genoux sur le sol. Tremblant, il y porta instinctivement la main gauche. Aussitôt que l'étoile de David fut appliquée sur le fragment à travers ses vêtements, la douleur disparut. La magie de Hanokh était grande, constata-t-il avec soulagement.

Manaïl rattrapa les autres sans qu'ils aient remarqué son retard. D'un pas décidé, ils descendirent dans le froid du tunnel vers la chambre souterraine.

✦

Dans sa masure, penché sur son bol rempli d'eau, Hanokh avait commencé à observer le

Mishpat. Son corps trahissait sa grande tension nerveuse et, inconsciemment, il avait crispé les mains sur le rebord du récipient. Le garçon venait de pénétrer sous les ruines du temple de Salomon. Le Mal avait étendu ses griffes vers lui mais comme prévu, l'étoile de David l'avait protégé. Bientôt, il allait atteindre l'endroit où il se terrait.

Hanokh était fébrile. Sous peu, il devrait faire appel à toute l'étendue de ses pouvoirs pour venir en aide au *Mishpat.* Il devait l'assister afin qu'il apporte le Mal jusqu'à lui. Ensuite viendrait le moment de l'ultime tâche que Yhwh, dans Sa justice aveugle, réservait au *Tsedeq.* Hanokh ne s'en remettrait pas. Il le savait et il l'acceptait. Telle était sa destinée. Il était vieux. Si vieux... Toutes ces années d'étude et de prière l'avaient mené vers ce moment suprême. Il était prêt et résigné. Yhwh l'attendait à bras ouverts. Il en avait la conviction.

Sans relâcher sa surveillance, il murmura doucement une prière, conscient qu'il s'agissait sans doute de la dernière fois qu'il s'adressait à Yhwh sans se tenir devant lui.

✦

Dans son hostel, le frère Enguerrand se sentait plus fébrile encore qu'avant sa première bataille. Il n'était alors qu'un tout jeune templier inexpérimenté et tremblant de peur qui s'évertuait à prier Dieu de lui donner du courage.

Les ouvriers avaient dégagé le tunnel effondré et l'avaient renforcé. Le frère Bruno était formel : ils touchaient au but. Cette nuit, ils atteindraient la voûte secrète sous le temple de Salomon. À ce moment précis, le commandeur de la cité de Jérusalem entrerait en action. Ce serait lui et personne d'autre qui pénétrerait le premier dans le *Sanctum Sanctorum*[1]. Ses mains seraient les premières depuis plus de deux mille ans à tenir les Tables de la Loi, comme Moïse lui-même l'avait fait.

Cette nuit, il allait mener à bien la mission que lui avait confiée Armand de Périgord, grand maître vénéré de l'ordre. Il quitterait à regret cette Terre sainte dont il avait tant souhaité fouler le sol et qu'il aimait déjà, mais le sacrifice était nécessaire. L'avenir de l'ordre des Pauvres Chevaliers du Christ et du Temple de Salomon, auquel il avait voué sa vie, en dépendait. Il en allait aussi du salut de l'âme d'Enguerrand de Montségur. Car échouer équivaudrait à trahir la cause du Christ et il ne

---

1. En latin : Saint des Saints.

doutait pas un instant qu'il irait rôtir en enfer pour l'éternité.

Le commandeur mit de l'ordre dans les nombreux documents qui jonchaient sa table de travail. Si tout se déroulait comme il l'espérait, il devrait repartir en catastrophe vers Paris avant que Jérusalem ne soit encerclée par les musulmans. Quelqu'un d'autre viendrait prendre le commandement de Jérusalem et, avec la menace qui planait à l'horizon, sa tâche serait très ardue. Son successeur était pratiquement condamné à mourir au champ de bataille. Le frère Enguerrand l'enviait. Il aurait voulu donner sa vie pour le Christ. Mais Dieu en avait décidé autrement.

Le commandeur de la cité de Jérusalem se leva, passa son manteau blanc, boucla sa ceinture par-dessus et ajusta le fourreau de son épée. Ce qu'il devait faire exigeait qu'il se présente dans toute sa splendeur. Lorsqu'il fut prêt, il sortit. Il était temps d'assister aux travaux sous les étables et d'accomplir la mission sacrée que l'ordre lui avait confiée.

✦

Manaïl et son groupe parvinrent à la chambre souterraine, éclairée par des torches. Le frère Bruno avait dit vrai : elle avait été entièrement dégagée et de grosses poutres de bois remplaçaient l'armature fragile qui s'était écrasée. Tout semblait très solide. L'équipe d'ouvriers épuisés qui s'y trouvait déjà s'empressa de se retirer sans demander son reste.

Un à un, les templiers appuyèrent leurs armes contre la paroi et retirèrent leurs manteaux. En chemise, Manaïl et deux autres ouvriers descendirent dans le trou et se mirent au travail avec détermination. Ils se relayaient pour frapper à coups de pioche sous la supervision du frère Bruno. La cavité s'approfondit à vue d'œil et prit la forme d'une fosse. Bientôt, ils y furent complètement enfoncés et il fallut y glisser une échelle pour permettre d'en sortir. Ceux qui ne piochaient pas en extrayaient la terre à grandes pelletées et l'entassaient plus loin. Après une heure, malgré le froid, les ouvriers étaient trempés et luisants de sueur.

Lorsque arriva le tour de Manaïl de prendre une pause, il ne se fit pas prier pour sortir du trou. Il gravit les barreaux de l'échelle et se précipita vers l'outre d'eau déposée plus loin. Il but goulûment en compagnie du frère Bruno. Il allait demander au Mage si l'on parviendrait jamais au but lorsqu'un bruit sec résonna dans la chambre souterraine.

Toc!

Manaïl sursauta et s'étouffa presque avec une gorgée d'eau. Le templier qui creusait s'arrêta net et se redressa, étonné, pendant que les autres le regardaient dans l'expectative.

— Frère Bruno ! s'écria-t-il. J'ai frappé du solide ! Je crois que nous y sommes.

Impatient, le frère Bruno s'approcha du trou, Manaïl sur les talons, et en examina le fond à la lumière d'une torche.

— Qu'est-ce que vous attendez ? s'écria-t-il en contrôlant difficilement sa nervosité. Dégagez-moi ça !

Manaïl descendit dans la fosse et, avec les trois autres templiers, redoubla d'efforts. Tous pelletèrent fiévreusement sous les imprécations autoritaires du frère Bruno, projetant la terre n'importe où.

Après quelques minutes, ils avaient déblayé une épaisse dalle de pierre noire. Lorsqu'ils eurent essuyé la poussière, la lumière des torches se refléta sur une surface polie à la perfection comme sur un miroir. Sceptique, un des templiers sauta dessus à pieds joints à quelques reprises sans que la structure donne le moindre signe de faiblesse.

— C'est aussi épais que les murs d'une cathédrale, annonça-t-il, stupéfait.

Le frère Bruno se tenait au bord de la cavité, les bras ballants. Dans ses yeux brillait un mélange d'excitation et de concupiscence à peine contenue.

— La voûte d'Hiram… murmura-t-il avec révérence en jetant un regard entendu à Manaïl. Enfin…

Manaïl s'agenouilla et caressa la dalle de pierre avec respect. Sur la surface parfaitement lisse, il sentit une légère entaille. Il la frotta discrètement pour en retirer la poussière qui s'y était logée. Quelqu'un avait gravé dans la pierre un petit cercle. Intrigué, il y mit le doigt et poussa, croyant qu'il s'agissait peut-être d'une serrure. Mais rien ne se produisit.

— Vous avez bien travaillé, mes frères, tonna une voix derrière eux. L'ordre vous en est reconnaissant et Dieu vous le rendra au centuple.

Ses poings massifs appuyés sur les hanches, vêtu d'un manteau blanc immaculé et en armes, le frère Enguerrand se tenait, splendide et impressionnant, dans l'entrée de la chambre souterraine. Il la balaya d'un regard autoritaire et s'approcha lentement du trou pour en examiner le fond. Satisfait, il hocha la tête.

— Frère Bruno, avez-vous découvert un accès ? demanda-t-il.

— Non, commandeur. Ça m'a tout l'air scellé.

— C'est bien ce que je redoutais. Maître Hiram était un grand bâtisseur. Il n'aurait certainement pas prévu une porte qui faciliterait la tâche à des pillards. Je crains qu'il n'y ait qu'un seul moyen d'y entrer : par la force, tudieu !

L'air décidé, le frère Enguerrand se cracha dans les mains et les frotta. Il empoigna une lourde masse et sauta avec détermination au fond de l'excavation. Levant l'outil au-dessus de sa tête et bandant ses muscles, il l'abattit sur la dalle avec une force titanesque en criant sous l'effort. Les parois du tunnel tremblèrent sous le choc. Mais la dalle ne céda pas.

— Mordieu ! s'exclama le commandeur, c'est du solide ! Maître Hiram savait ce qu'il faisait !

Un sourire presque sauvage éclaira le visage du commandeur, qui recommença à frapper avec un plaisir évident en grognant comme une bête de somme. Chacun de ses coups faisait vibrer la chambre souterraine. Il s'acharna pendant de longues minutes avant que le chef-d'œuvre architectural de maître Hiram Abif donne son premier signe de faiblesse.

Encouragé, le frère Enguerrand écarta les jambes, campa les pieds, inspira profondément et frappa de toutes ses forces. Des fentes apparurent dans la magnifique surface polie de la dalle. Quelques éclats se détachèrent de la voûte et s'engouffrèrent dans l'ouverture qui venait d'apparaître. Le commandeur cogna de plus belle.

Dans le tunnel souterrain, des craquements lugubres résonnèrent et le frère Enguerrand s'interrompit, une ombre d'inquiétude lui traversant le visage. Tout le monde se raidit, craignant que la structure ne s'affaisse. Après un long moment, pendant lequel personne n'osa même respirer, le calme revint. Avec une ferveur renouvelée, le commandeur se remit à frapper pour agrandir l'ouverture. Lorsqu'il fut satisfait, il déposa la masse et releva la tête vers un des templiers. Après plus de deux millénaires, la voûte secrète était ouverte. Le trésor du roi Salomon allait enfin être révélé.

— Une torche! ordonna-t-il sèchement. Ventre-Dieu! Donnez-moi une torche, bande d'incubes impotents!

Un templier lui tendit l'objet avec empressement. Le commandeur l'empoigna en grommelant, se mit à genoux et glissa la torche dans l'ouverture. Puis il y enfonça la tête jusqu'aux épaules. Pendant quelques instants, il resta ainsi, le derrière en l'air. Lorsqu'il ressortit la tête, son visage était blême et son regard hagard.

— *VERITAS VOS LIBERABIT*[1]... murmura-t-il pour lui-même, ébranlé, en fixant l'ouverture. Tudieu... Tout est là...

---

1. En latin: La vérité te libérera.

Le commandeur se remit sur ses pieds, grimpa l'échelle et sortit du trou. Il planta la torche dans le sol.

— Mes frères, déclara-t-il, solennel, nous avons trouvé le trésor légendaire du roi Salomon. Rendons grâce à Dieu tout-puissant. La destinée de l'ordre des Pauvres Chevaliers du Christ et du Temple de Salomon est accomplie.

Il baissa la tête et commença un patenôtre. En cercle autour de leur commandant, les templiers se joignirent à lui et prièrent avec une ferveur renouvelée.

Tout en faisant mine de se recueillir avec les autres, Manaïl observait la scène à la dérobée. La voûte de maître Hiram était ouverte. Le fragment se trouvait quelque part en dessous. S'il voulait s'en emparer, c'était maintenant ou jamais. Il répéta trois fois à voix basse le mot que le vieux magicien lui avait enseigné.

— *Shekhinah. Shekhinah. Shekhinah.*

LE POUVOIR DE HANOKH

L e *Mishpat* avait prononcé l'invocation. Les événements menant à l'aboutissement de la destinée de Hanokh s'enclenchaient. Le magicien ferma les yeux, joignit ses mains noueuses devant son visage, inspira profondément et se concentra. Il supplia Yhwh de bien vouloir canaliser une dernière fois Sa sublime puissance dans sa vieille carcasse et de manifester à travers elle Son emprise sur la Création.

À Jérusalem, l'immense roue du temps grinça et se mit à ralentir. Par-delà la Terre sainte jusqu'à la totalité de la surface habitée de la terre, la Création de Yhwh tout entière s'immobilisa.

Haletant et couvert de sueur, Hanokh s'effondra sur le sol, tremblant. Son épuisement était tel qu'il sentait la mort s'insinuer irréversiblement en lui. Mais il devait tenir le coup. Le *Mishpat* et lui avaient encore besoin l'un de l'autre. Chacun avait une tâche à terminer. Une tâche ordonnée par Yhwh Lui-même. Ensuite, il aurait l'éternité pour se reposer.

◆

Dans la chambre souterraine, le temps s'était arrêté. Les templiers, en cercle autour du frère Enguerrand, étaient figés dans leur prière d'action de grâces. Méfiant, Manaïl s'approcha et poussa délicatement sur l'épaule de l'un d'eux. L'homme vacilla, telle une statue de chair, sans la moindre réaction. L'Élu posa l'oreille contre la poitrine de l'homme. Rien. Son cœur s'était arrêté entre deux battements.

Le garçon posa un regard coupable sur le frère Bruno. Il aurait tant voulu expliquer au Mage d'Ishtar qu'il ne l'excluait pas de sa quête par manque de confiance. Mais il devait apprendre comment détruire le talisman de Nergal et Ishtar n'avait pas placé le vieux magicien sur sa route par hasard. Avec le temps, le frère Bruno comprendrait, se dit-il. Peut-être aurait-il même l'occasion de lui expliquer en personne une fois que tout serait terminé.

Manaïl ramassa la torche que le frère Enguerrand avait plantée dans le sol et s'écarta du groupe. Il devait se mettre au travail sans attendre. Il ignorait combien de temps Hanokh était capable de maintenir son emprise sur le temps. Ce magicien était puissant mais il était si vieux...

Il regarda un instant la cavité au fond de laquelle apparaissait ce qu'il restait de la dalle de pierre noire et inspira pour se donner du courage. Au même moment, l'intense douleur lui frappa de nouveau la poitrine et, instinctivement, il y posa la marque de Yhwh. De toute évidence, il allait bientôt se trouver face à face avec un second fragment du talisman de Nergal. Ces objets maudits exigeaient un tribut terrible. Il se dit que ce qui l'attendait là-dessous ne pouvait pas être pire que la lutte à mort qu'il avait dû livrer à Pylus, le Nergali de Babylone, ou la trahison d'Arianath. Il soupira et descendit l'échelle dans le trou.

Une fois au fond, Manaïl s'accroupit, hésitant, au bord de l'ouverture pratiquée par le commandeur. D'étranges lueurs scintillaient à la lumière de la torche. À quelle sorcellerie devait-il encore s'attendre ? Hiram avait-il prévu un piège pour ceux qui profaneraient le trésor de Salomon ? Comme pour confirmer ses appréhensions, un élancement cruel lui déchira la poitrine et il ne put étouffer un gémissement. Grimaçant, il passa la main gauche dans le col de sa chemise et la posa sur l'affreuse cicatrice en forme de pentagramme inversé. Une fois de plus, l'étoile de David fit son effet et la douleur se mua en une pulsation sourde mais endurable.

Manaïl saisit la torche, passa les pieds dans la voûte d'Hiram, se laissa glisser à l'intérieur et tomba dans le vide.

✦

Jubelo avait reconnu la sensation qui l'avait assailli. Quelqu'un avait de nouveau interrompu le cours du temps. Il avait aussitôt réagi en s'immobilisant comme les autres. Manaïl n'y avait vu que du feu. Pétrifié, les yeux mi-clos, il attendit que l'Élu pénètre dans la voûte. Après quelques secondes, il étira le cou pour s'assurer qu'il n'en ressortirait pas sans prévenir. Lorsqu'il fut satisfait, il bougea. Autour de lui, ceux qui l'appelaient naïvement « frère » étaient figés dans le temps. Jubelo les méprisait tous... Il chassa ces idées improductives et se concentra sur ce qui était important.

Ainsi, ce gamin contrôlait vraiment le temps... Il avait récité une mystérieuse incantation et tout s'était arrêté. Cela était très troublant. On l'avait pourtant assuré que les pouvoirs de l'Élu étaient encore embryonnaires et qu'il les maîtrisait mal. Et voilà qu'il venait de démontrer le contraire d'une manière spectaculaire.

Mais le plan de Jubelo n'était pas changé pour autant. Comme le gamin ne soupçonnait pas qu'il était un Nergali, il ne se doutait pas non plus qu'il n'était pas affecté par l'arrêt du temps. Il suffisait de le laisser prendre tous les risques. Lorsqu'il aurait trouvé le fragment, il sortirait de la voûte. Jubelo n'aurait qu'à le cueillir comme un fruit mûr.

Le Nergali extirpa un poignard de sous sa chemise et l'admira un instant. Bientôt, il couperait le cou de l'Élu. C'étaient non seulement deux fragments, mais aussi sa tête qu'il ramènerait, triomphant, à Mathupolazzar. Il remit l'arme à sa place et attendit. Le gamin finirait bien par ressortir.

LE TRÉSOR DU ROI SALOMON

Lorsque Manaïl atterrit dans la voûte, il sentit le sol céder sous ses pieds. Ses jambes s'enfoncèrent jusqu'à mi-cuisse et restèrent emprisonnées. En proie à la panique, il décrivit de grands moulinets avec ses bras pour ne pas tomber à la renverse et parvint à maintenir son équilibre.

Il tendit la torche devant lui. Ce qui apparut sous ses yeux lui coupa le souffle. La pièce débordait presque de monnaies et d'objets en or et en argent, de saphirs, de diamants, d'émeraudes et de rubis. Son milieu était occupé par une véritable colline de richesses. Partout où Manaïl posait son regard, tout n'était que joyaux et métaux précieux! Les flammes de sa torche illuminaient l'or, l'argent et les pierres, dont les reflets dorés, bleus, verts, blancs et rouges transformaient la pièce en un immense kaléidoscope.

Manaïl pencha la tête et réalisa avec stupéfaction que ses jambes étaient enfoncées dans les pierres précieuses et les pièces de monnaie. Dans ses rêves les plus fous, jamais il n'aurait pu imaginer une telle richesse. Les trésors accumulés par tous les rois de Babylone, dont il avait souvent entendu parler, n'étaient rien en comparaison de ce qui se dévoilait à lui. Il y avait là de quoi acheter mille fois le monde entier! Manaïl comprit tout à coup beaucoup mieux l'air solennel du frère Enguerrand. Il n'avait sans doute jamais rien vu de tel, lui non plus. Ainsi, la légende de ce *kan* disait vrai... Le trésor du roi Salomon existait réellement et se trouvait sous les ruines du temple.

Manaïl planta la torche dans les richesses et, en tirant laborieusement, parvint à dégager ses jambes une à une du monceau de merveilles. Une fois libéré, il s'assit et plongea les mains dans les pierres précieuses. Il en plaça quelques-unes devant ses yeux et, stupéfait, les laissa couler lentement entre ses doigts. Une cupidité qu'il n'avait jamais ressentie s'insinua dans son âme, lui qui n'avait jamais rien possédé en propre. Sans pouvoir s'en empêcher, il se mit à ébaucher un plan. Le temps était arrêté. Il n'aurait qu'à prendre tout ce qu'il pouvait emporter et fuir loin d'ici. Il finirait ses jours dans le luxe et le

confort. L'ingrate mission qu'on lui avait imposée ne serait plus qu'un mauvais souvenir. Il
serait enfin heureux. La pauvreté de l'orphelin de Babylone ne serait plus qu'un lointain
souvenir.

Il aperçut près de lui un rubis plus gros
que le poing et tendit le bras pour le saisir.
Dans son mouvement, son genou heurta la
torche qui se délogea et roula jusqu'au pied de
l'amas de richesses. Puis elle heurta quelque
chose et s'immobilisa.

Ce que Manaïl aperçut dans la lumière
vacillante le remplit d'horreur et le ramena
aussitôt à la dure réalité. Sa terrible quête le
poursuivait même au cœur de toute cette
beauté. La richesse et l'abondance n'étaient
pas pour lui.

LE SECRET D'HIRAM

Dans la lumière frémissante de la torche, affalé contre le mur, gisait un cadavre. Terrifié, Manaïl resta cloué sur place. Craignant que la flamme ne s'éteigne, il parvint à surmonter son effroi et se laissa glisser sur les fesses jusqu'au pied de la montagne de richesses. Il ramassa sa torche et, la peur lui tordant le ventre, éclaira le corps avec lequel il partageait bien malgré lui la pièce.

L'homme appuyé sur le mur de brique avait été desséché par l'air sec de la voûte. Son visage, figé dans une grimace permanente, avait l'apparence des parchemins sur lesquels écrivaient les gens de ce *kan*. Des touffes d'une épaisse barbe blanche y étaient encore collées et sa tête était surmontée de ce qu'il restait d'une chevelure en broussaille de la même couleur. Ses orbites vides fixaient leur regard sur Manaïl. Ses vêtements en lambeaux semblaient beaucoup trop grands pour le corps atrophié. Mais il avait probablement été très riche, constata le garçon en notant les nombreux bracelets d'or à ses poignets.

Près du cadavre, Manaïl aperçut deux grandes tablettes d'argile couvertes d'une écriture semblable à celle qui ornait les murs de la cabane de Hanokh. Il les examina un moment. S'agissait-il des Tables de la Loi qu'avait mentionnées le frère Bruno ? En tout cas, elles avaient l'air très anciennes et lui rappelaient un peu celles sur lesquelles maître Ashurat lui avait appris à écrire avec un calame. Mais ça, c'était dans une autre vie… Comme il ne pouvait pas lire cette écriture, il s'en désintéressa rapidement. Ces objets étaient sans doute importants pour les gens de ce *kan*, mais ce n'était pas ce qu'il cherchait. Il reporta son attention sur le contenu de la chambre.

Il n'y avait aucune porte. Le pauvre homme n'avait pu entrer dans cette voûte scellée que par l'ouverture que fermait la dalle réduite en miettes par le frère Enguerrand. Avait-il été jeté là déjà mort ou l'avait-on emmuré vivant ? Des images plus sinistres les unes que les autres se mirent à se bousculer dans la tête de Manaïl. Combien de temps avait-il fallu à l'homme pour expirer, seul dans le noir ? Avait-il eu peur ? Faim ? Soif ? Froid ? Avait-il hurlé jusqu'à en perdre la voix ? Avait-il fini par manger sa propre chair pour survivre un peu plus longtemps dans l'espoir qu'on le retrouve ? Mais surtout, comment en était-il arrivé là ? Avait-il été offert en sacrifice par le roi Salomon afin que le dieu d'Israël veille à jamais sur le trésor ?

Perdu dans ses sombres pensées, Manaïl faillit ne pas noter la présence d'une petite marque sur le mur, à peine visible dans la lumière tremblotante des flammes. Elle se trouvait à environ une coudée du sol, juste au-dessus de l'épaule de l'homme.

Manaïl se pencha et, en évitant soigneusement de toucher le cadavre, souffla sur la marque pour en chasser la poussière. Il en approcha la flamme à quelques doigts et l'examina. On aurait dit un dessin. Tracé par le mort ? Sans doute. Dans une substance foncée... Brunâtre... Du sang séché ? Cet homme avait-il tracé cette marque avec son propre sang avant d'expirer ? Si oui, c'est qu'il lui accordait une très grande importance. Plus grande encore qu'à sa propre vie. Mais laquelle ? Manaïl modifia l'angle de la lumière. Dans le nouvel éclairage, la forme lui sauta aux yeux. À peine visible, une étoile, la pointe vers le haut. Le pentagramme... L'étoile d'Ishtar... Le symbole des Mages qu'il portait sur la bague reçue d'Ashurat...

Le garçon se redressa, interdit. Seul un Mage d'Ishtar aurait jugé nécessaire de tracer ce signe, même à l'agonie. Cet homme momifié sur le sol ne pouvait être que maître Hiram, disciple de Naska-ât et Mage d'Ishtar. Celui-là même qu'Ashurat avait connu et qui avait enfoui le fragment sous le temple de Salomon. Il n'avait pu dessiner ce symbole qu'à l'intention d'un autre Mage. Ou pour l'Élu. Mais pourquoi? Pour transmettre un message? Confirmait-il simplement son identité? Ou y avait-il plus? Indiquait-il une marche à suivre?

Manaïl reporta son regard sur la montagne de richesses au centre de la pièce. Si le fragment s'y trouvait, il lui faudrait une vie entière pour le dénicher parmi toutes ces pierres précieuses et ces pièces de monnaie... Non. Maître Hiram était certainement plus astucieux que cela. L'instinct de Manaïl lui criait que cette marque tracée sur la brique était la clé de sa quête dans ce *kan*. S'il parvenait à décoder le message du Mage, la voie vers le fragment maudit s'ouvrirait.

Tout à coup, l'explication jaillit en lui dans toute sa simplicité: cette pièce n'était pas la voûte secrète de maître Hiram. Elle n'était que la chambre aménagée sous le temple pour conserver le trésor de Salomon, comme le racontait la légende. Il y avait forcément un autre endroit dont seul le Mage avait possédé le secret. Et cette marque en indiquait l'emplacement.

L'excitation le gagnant, Manaïl s'accroupit et se concentra sur la marque. Avec circonspection, il l'effleura du bout du doigt. Sous le sang séché, sculpté dans la brique, il sentit un relief à peine perceptible. Un pentagramme bénéfique inscrit dans un cercle. Même à la lumière du jour, jamais il ne l'aurait aperçu à l'œil nu. C'est sur ce symbole que maître Hiram avait voulu attirer l'attention, sachant que seul un initié en comprendrait le sens. Manaïl constata avec étonnement que le cercle dans lequel était gravé le symbole était exactement de la même taille que la pierre de la bague d'Ashurat.

Sans réfléchir, le garçon enfonça sa bague dans la marque. Elle s'y encastra parfaitement. Un petit déclic retentit dans le silence de la chambre du trésor. L'espace d'une seconde, rien ne se produisit. Puis la brique s'enfonça légèrement. Manaïl sursauta et recula, alarmé. De l'autre côté de la paroi, un grondement de lourdes pierres qui se déplacent les unes contre les autres se fit entendre.

Derrière la tête de maître Hiram, une brique se détacha, disparut en arrière de la paroi et émit un bruit sourd en tombant sur le sol. Une autre fit de même, puis une autre et une autre encore. Une brique à la fois, la portion du mur qui supportait le cadavre d'Hiram s'écroula. Le corps desséché tomba à la renverse dans la petite ouverture qui s'était formée. Manaïl estima qu'elle était juste assez grande pour lui permettre de passer en rampant dans la pièce secrète qui s'y trouvait.

Surmontant son dégoût, il saisit maître Hiram par une cheville et le tira un peu pour dégager l'ouverture, tout en résistant au haut-le-cœur dont les refoulements acides lui brûlaient la gorge. Le corps était si sec qu'il était léger comme une plume. Puis, la torche brandie devant lui, il dégagea ensuite les briques tombées qui lui obstruaient le passage. Lorsqu'il eut terminé, il s'allongea sur le ventre et s'engagea tête première dans la brèche qui menait vers la vraie voûte d'Hiram. Vers le second fragment du talisman de Nergal.

LE PIÈGE

Manaïl franchit l'ouverture en se tortillant comme un ver. Aussitôt à l'intérieur, la douleur dans sa poitrine se fit plus
vive. Il se releva péniblement, aux aguets, et
brandit sa torche. Sa tête heurta quelque
chose de dur. Il laissa échapper un petit cri de
douleur et s'accroupit en grimaçant. Il regarda
vers le haut et constata avec étonnement que
le plafond était trop bas pour lui permettre de
se tenir debout. Perplexe, il examina les lieux
en massant la bosse qui se formait déjà sur le
dessus de sa tête.

Cet endroit n'avait pas été conçu pour
qu'on puisse y marcher librement. La voûte
secrète était minuscule et vide, à l'exception
d'un petit coffre en bronze posé en plein centre à même le plancher de brique. Demeurant
accroupi, Manaïl s'approcha et observa l'objet
sans le toucher. Le coffre dénué de serrure
avait pour seule décoration un pentagramme

bénéfique embossé sur le couvercle. Isolé de l'extérieur depuis des millénaires, il avait conservé tout son éclat et brillait dans la lueur de la torche.

Songeur, Manaïl se rappela une fois de plus le sacrifice en vies humaines qu'exigeaient les fragments maudits. De toute évidence, maître Hiram avait payé de sa vie pour mettre un fragment du talisman de Nergal hors de portée de ceux qui le cherchaient. Il avait sans doute agonisé longtemps, seul, appuyé contre la paroi derrière laquelle il avait scellé l'objet qu'il avait juré de protéger. Maître Ashurat, lui, avait sacrifié un de ses yeux pour y enfouir un fragment, puis avait préféré la mort plutôt que d'en trahir le secret. Décidément, les pauvres Mages d'Ishtar ne reculaient devant aucun sacrifice pour remplir leur terrible mission. Manaïl sentit la honte l'envahir. Quel droit avait-il de se plaindre, lui qui n'avait, au fond, qu'à cueillir ce qui avait été si chèrement préservé par d'autres ? Les obstacles qu'il avait rencontrés, s'ils avaient parfois été cruels, étaient insignifiants en comparaison du prix payé par les courageux disciples de Naska-ât. Heureusement, grâce à eux, il faisait des progrès. Il lui suffisait d'ouvrir le coffre, de s'emparer du fragment et de sortir d'ici. Une seconde étape de sa quête serait complétée.

Il approcha la main du coffre. La douleur dans sa poitrine était terrible. À ce moment précis, un déclic presque imperceptible troubla l'oppressant silence de la voûte suivi, quelques secondes plus tard, d'un léger bruit visqueux. Le garçon se figea, tous les sens en alerte, et attendit. Rien. Son imagination lui jouait sans doute des tours.

Furieux contre lui-même, il ouvrit le couvercle d'un geste déterminé. Le fragment du talisman de Nergal avait été déposé en toute simplicité au fond. Il était identique à celui qu'il détenait déjà, enchâssé dans sa poitrine. Il semblait absorber la lumière de la torche comme une éponge avale l'eau.

Manaïl allait s'en saisir lorsqu'un sifflement aigu, rempli d'une menace imprécise, monta près de lui. Il sursauta. À l'affût du danger, il pivota sur lui-même pour inspecter l'ensemble de la voûte. Ce qu'il découvrit lui hérissa les poils de la nuque. Tout près du coffre, un serpent couleur de sable, long de plus d'une demi-toise, la tête levée en signe de menace, se tortillait en agitant une langue fourchue. Sur le front du reptile, près des yeux à iris noir qu'il vrillait avec malfaisance sur lui, pointaient deux petites cornes. Manaïl connaissait bien cet animal, courant à Babylone : une vipère à cornes ! Sa morsure n'était pas nécessairement mortelle, mais elle était très douloureuse. Heureusement, il n'y en avait qu'une. À plusieurs, elles pouvaient tuer un homme en quelques minutes en le gorgeant de venin.

Apeuré, Manaïl s'éloigna à quatre pattes et se blottit dans un coin de la voûte, la torche brandie vers le reptile pour le garder à distance. Sous ses yeux ébahis, la vipère se dressa. Avec sa tête, elle poussa le couvercle du coffre et le referma. Puis une seconde vipère apparut. Puis une troisième et une quatrième…

Manaïl leva la torche vers le plafond bas et y découvrit une mince ouverture habilement camouflée, qu'il n'avait pas remarquée auparavant. Pendant qu'il l'examinait, deux vipères y passèrent la tête, balayèrent la pièce du regard et se laissèrent choir dans la voûte. En moins d'une minute, l'Élu se retrouva face à une vingtaine de serpents venimeux qui frétillaient dans tous les sens autour du coffre. Le souffle coupé, il observa leur comportement. On aurait dit… qu'ils protégeaient consciemment le coffre ! Il se maudit intérieurement d'avoir laissé son épée là-haut, dans la chambre souterraine. Au moins, il aurait pu tenter de se défendre. Mais il ne servait à rien de pester contre ce qu'il ne pouvait changer.

Malgré sa peur, Manaïl ne pouvait s'empêcher d'éprouver un grand respect pour l'astucieux maître Hiram, qui s'était assuré que même ceux qui posséderaient les secrets requis pour s'introduire dans sa voûte secrète devraient prouver leur valeur avant d'être autorisés à s'emparer du fragment. La question qui se posait avec urgence et cruauté était celle-ci : Manaïl avait-il la valeur nécessaire ?

Avec circonspection, toujours accroupi, il fit trois petits pas vers le coffre. Vingt têtes aux yeux froids et cruels se retournèrent en même temps dans sa direction. Vingt sifflements agressifs remplirent la pièce. Il recula sans demander son reste et se recroquevilla de nouveau dans son coin. Il pointa la torche en direction de la vipère la plus proche. Enragé, le reptile recula en crachant. Encouragé, Manaïl s'avança un peu plus en agitant les flammes de gauche à droite avec vigueur. Les vipères retraitèrent un peu plus, intimidées, en sifflant et crachant de plus belle. S'il parvenait à tenir ces bêtes à distance, peut-être aurait-il le temps d'ouvrir le coffre, de s'emparer du fragment et de s'enfuir ?

Quelque chose d'extraordinaire se produisit alors. À l'unisson, elles se séparèrent en deux groupes et se massèrent de chaque côté de la pièce. Croyant avoir la voie libre, Manaïl avança un peu plus. Il était à portée du coffre lorsqu'il constata, sidéré, que, loin d'avoir été repoussées, les vipères, telles des garnisons militaires parfaitement entraînées, s'étaient disposées en tenailles qui se refermaient peu à peu sur lui et l'encerclaient. Le garçon recula avec empressement vers son point de départ, tremblant. À leur tour, les reptiles reprirent position autour du coffre. Dans leurs yeux, le garçon aurait juré qu'il percevait un éclair d'arrogance.

Luttant pour ne pas céder à la panique, Manaïl tentait d'analyser la situation. La brèche par laquelle il était entré était située tout près de lui, sur sa droite. Avec un peu de chance, il pourrait s'y engouffrer avant que les vipères ne l'attrapent. Mais en faisant cela, il leur abandonnerait le fragment. Il devait trouver au plus vite un moyen d'éloigner ces satanés reptiles. Ou de les éliminer.

Comme si les vipères avaient lu dans ses pensées, elles se mirent à avancer lentement vers lui, menaçantes. Manaïl réfléchit à toute vitesse. Elles craignaient le feu, mais la torche ne suffirait pas à les éloigner toutes. Pour les tenir en respect, il lui aurait fallu un véritable bûcher. Mais il n'y avait rien d'autre dans cet endroit que de l'or, de l'argent et des pierres précieuses. Rien de combustible. S'il avait au moins eu du bois ou du parchemin... Du parchemin !

Dégoûté par l'idée répugnante qui venait de germer en lui, il rampa vers l'ouverture sans quitter les vipères des yeux, tendant la torche vers le centre de la voûte où brillaient les petits yeux noirs et malfaisants qui s'approchaient. Il y passa le bras et, après avoir tâté à l'aveuglette un moment, toucha du bout des doigts ce qu'il cherchait.

Surmontant sa répulsion, Manaïl saisit le poignet desséché de maître Hiram et implora en silence le pardon de cet homme qu'il admirait sans l'avoir connu pour l'outrage qu'il s'apprêtait à lui faire subir. Mais maître Hiram était un Mage d'Ishtar. Il aurait compris la nécessité de son geste. Il tira le cadavre dans la voûte secrète.

Une fois à l'intérieur, il s'accroupit près du corps et y appliqua sa torche. Aussitôt, les vêtements et les cheveux secs s'embrasèrent. Les flammes se propagèrent à la chair, d'abord avec hésitation, puis avec de plus en plus de force. Une fumée âcre remplit la voûte basse. Retenant son souffle, Manaïl attendit quelques instants et, lorsque le corps du Mage commença à se consumer, il l'empoigna et le lança vers les vipères. La plupart des reptiles furent aussitôt enveloppés par les flammes. Certains frémirent violemment avant de trépasser. D'autres s'enfuirent vers les murs en se tordant de douleur.

Les vipères qui avaient réussi à éviter les flammes se tapirent contre les parois en crachant. Lorsqu'elles reprendraient leurs esprits, elles seraient plus enragées que jamais. Sachant qu'il n'avait que quelques secondes devant lui, Manaïl se précipita à quatre pattes aussi vite qu'il en était capable et plongea les mains dans les flammes. Ses doigts se refermèrent sur le coffre brûlant. Malgré l'atroce douleur que lui causaient la chaleur et la proximité du fragment, il empoigna celui-ci et rampa dans la fumée opaque qui lui brûlait les yeux. En se tortillant frénétiquement, il franchit la petite ouverture et s'en était presque complètement extirpé lorsqu'il ressentit un pincement sec au talon droit.

Grimaçant, Manaïl fit irruption dans la chambre du trésor. Il se releva, ouvrit le coffre et prit le fragment avec sa main gauche, comme le lui avait recommandé Hanokh. Aussitôt, la douleur dans sa poitrine s'estompa un peu. Il allait se mettre à escalader la montagne de richesses lorsque des sifflements retentirent derrière lui. Il se retourna et aperçut quelques-unes des vipères qui avaient échappé aux flammes. Il lança le coffre de toutes ses forces et écrasa la tête de l'une d'elles.

La main fermée sur le fragment, il gravit l'amoncellement de pièces de monnaie et de pierres précieuses, les vipères survivantes à ses trousses. Il ne lui fallut que quelques secondes pour atteindre l'ouverture pratiquée par le frère Enguerrand. Il la franchit et s'engagea dans l'échelle. Il était à mi-chemin lorsqu'une main se tendit vers lui. Sans réfléchir, il la saisit et fut hissé dans la chambre souterraine où il s'affala, exténué.

NON BENE OLET
QUI SEMPER BENE OLET[1]

Malgré son esprit qui s'embrouillait de seconde en seconde, Manaïl réalisa soudain que quelque chose clochait. Hanokh avait arrêté le temps... Lorsqu'il était descendu dans la salle du trésor, il avait laissé derrière lui le frère Enguerrand et les autres templiers, figés dans leur prière. Il leva les yeux. Ils y étaient toujours. Et pourtant, quelqu'un l'avait aidé à sortir.

— Frère Maurin! Tu as le fragment? demanda le frère Bruno près de lui.

Le frère Bruno! Bien sûr! La magie de Hanokh n'affectait pas le Mage d'Ishtar.

— Oui, je l'ai... répondit Manaïl en désignant de la tête sa main gauche fermée sur le précieux objet. Frère Bruno, il faut que je vous explique... Je devais vous garder à l'écart à cause du magicien... Ne m'en voulez pas...

---

1. En latin: Trop de perfection sent la tromperie.

Le garçon tenta de se relever, mais l'effort lui fit tourner la tête. Autour de lui, le monde s'assombrit un instant. Il retomba lourdement sur le sol et examina sa blessure. Son talon était percé de plusieurs morsures autour desquelles la chair était déjà boursouflée. Il les pinça pour en faire sortir le venin. Il grimaça de douleur mais vit avec soulagement de petites gouttes translucides perler de chacune des traces de crocs.

— Aidez… Aidez-moi, balbutia-t-il en tendant la main vers le templier. Je… me… sens mal…

Sans avertissement, le frère Bruno brandit un poignard et bondit sur Manaïl. Médusé, il se retrouva cloué au sol, le templier à genoux sur son torse. Faiblement, il se débattit de son mieux, mais son agresseur inattendu le maîtrisa sans effort.

— Donne-le-moi, grogna le frère Bruno, les dents serrées, le visage déformé par un rictus haineux, en tentant de lui appuyer le couteau contre la gorge.

L'esprit embrumé par le poison qui se répandait dans ses veines, Manaïl ne comprenait rien à ce qui se passait. Le Mage d'Ishtar l'attaquait. Il voulait le fragment. Comment était-ce possible ? Les Mages étaient investis d'une mission sacrée. Ils devaient veiller sur le fragment jusqu'à l'avènement de l'Élu. Ils devaient aider l'Élu…

Le frère Bruno lui asséna de violents coups de genou dans le ventre et dans les côtes. Manaïl en perdit le souffle et des lumières chamarrées scintillèrent devant ses yeux clos. Malgré la douleur, il résista et garda la main gauche résolument fermée.

— Donne-le-moi, répéta le templier en ponctuant chaque mot d'un nouveau coup.

Dans un effort désespéré, Manaïl étira le bras droit et tenta d'attraper la pioche que le frère Enguerrand avait déposée sur le sol. Mais elle était trop loin. Le bout de ses doigts la frôlait à peine.

Un nouveau coup de genou dans les côtes lui vida les poumons et lui fit perdre le souffle. Il refusa avec obstination d'ouvrir la main. Luttant pour ne pas perdre conscience, il rouvrit les yeux juste à temps pour voir le couteau qui descendait vers sa gorge. Instinctivement, il tendit la main droite et bloqua le poignet de son adversaire, l'attira vers lui et y enfonça les dents de toutes ses forces. Il sentit la chair se déchirer et le sang gicler dans sa bouche. Le frère Bruno hurla et laissa échapper l'arme, qui tomba dans la cavité et se retrouva au sommet des inestimables richesses.

✦

Dans sa cambuse, penché au-dessus de son bol, Hanokh maudit du plus profond de son cœur son vieux corps usé. Il n'avait pas réussi à intervenir à temps pour empêcher la morsure de ces bêtes immondes, les plus viles de toute la Création. Maintenant, le Mal était là, avec le *Mishpat*. Il n'avait pas prévu que les événements prendraient une telle tournure. Le garçon était en danger mortel.

Il pouvait peut-être encore lui venir en aide. Hanokh puisa dans ses ultimes ressources et sentit sa force vitale le quitter.

✦

Manaïl luttait à la fois contre le frère Bruno et contre les sables mouvants dans lesquels son esprit s'enfonçait sans merci. Il tentait de comprendre ce qui se passait en évitant de son mieux les coups qui pleuvaient sur lui.

En précaire équilibre entre le jour et la nuit, la conscience de Manaïl oscillait. Ses pensées fragmentées s'associaient librement. Il se revit dans l'infirmerie, au chevet du templier blessé dans l'effondrement du tunnel. Le frère Bruno avait mentionné quelque chose… Quelque chose qui ne l'avait pas frappé sur le moment mais qui prenait maintenant un tout nouveau sens. Il avait dit : *Ma tâche sera accomplie. Ashurat ne sera pas mort en vain.* Mais comment pouvait-il savoir que le Mage babylonien avait péri ? Manaïl ne le lui avait jamais dit !

Sans défense, Manaïl vit le poing du frère Bruno s'approcher de son visage et une vive douleur lui envahit la tête. Des étoiles multicolores se mirent à danser devant ses yeux. Un éclair déchira soudain le voile sombre qui enveloppait l'esprit de l'Élu. Cet homme en qui il avait cru ne pouvait être qu'un Nergali ! Il avait gagné sa confiance pour mieux se jouer de lui. Comme les autres. Il l'avait manipulé jusqu'à lui faire trancher la gorge du pauvre maçon, qui était sans doute le seul véritable Mage !

Comme s'il lisait dans les pensées du garçon, le frère Bruno sourit cruellement entre deux coups.

— Meurs en sachant qu'un Nergali a mis fin à ta quête, Élu, cracha-t-il. Lorsque le Nouvel Ordre sera établi, nous rappellerons ta défaite à tous ceux qui nous serviront ! Je m'appelle Jubelo. Emporte mon nom au Royaume d'En-Bas.

Manaïl sentit une terrible colère monter en lui et prendre le dessus sur l'effet du venin. Il fixa un regard rempli de rage sur le templier.

— Non !!! hurla-t-il. Par Ishtar, jamais !

Invoquant l'aide de la déesse, l'Élu se mit à s'agiter furieusement. Dans un geste vif qui prit son adversaire par surprise, il remonta le genou et décocha un violent de coup de pied qui atteignit celui qu'il connaissait comme le frère Bruno en pleine poitrine. Les yeux ronds d'étonnement, le souffle coupé à son tour, le Nergali fut projeté vers l'arrière et atterrit près de la cavité. Faute de trouver quelque chose à quoi s'accrocher, il tomba tête première dans la chambre du trésor. Manaïl l'entendit débouler la montagne de richesses puis s'arrêter contre le mur de brique.

Haletant et étourdi, le visage tuméfié et perclus de douleurs, le garçon se releva en titubant, saisit une torche au mur puis revint vers l'ouverture. Il se pencha et aperçut avec effroi le frère Bruno qui, déjà, escaladait la montagne de joyaux avec fureur, les yeux levés vers lui.

— Attends que je t'attrape, vermine, gronda ce dernier.

Manaïl constata avec effroi que le Nergali avait profité de sa chute dans la chambre du trésor pour récupérer son couteau. Il chercha désespérément une arme pour se défendre et aperçut les épées appuyées contre la paroi par les templiers qui creusaient. Au moment où il en ramassait une, il sentit ses forces l'abandonner et s'étala au sol, à demi conscient. À travers le voile de plus en plus opaque qui lui couvrait les yeux, il vit les mains de son adversaire apparaître sur le rebord de l'ouverture. Dans un moment, il en serait sorti.

Blessé, vidé et malade, Manaïl n'avait plus la force de lutter. Il ne désirait rien d'autre que de s'allonger là et mourir tranquillement. Il ne restait qu'à savoir qui du Nergali ou du poison en finirait avec lui. Et avec sa quête. Instinctivement, il serra le poing gauche sur le fragment.

SAUVE QUI PEUT !

Hanokh concentra tout son pouvoir et le fit jaillir de ses mains avec une force terrible. C'était toute la colère destructrice de Yhwh qui émergeait de lui. Sous le sol de Jérusalem, une onde de choc serpenta de la rue des mendiants jusqu'aux ruines du temple de Salomon et percuta avec violence les excavations des templiers, déjà affaiblies par la destruction malencontreuse de la dalle de pierre qui fermait la voûte d'Hiram.

Puis, épuisé, le vieux magicien s'en remit à Yhwh, son dieu, l'implorant de sauver le *Mishpat* et de lui donner la force de terminer sa mission.

✦

Dans son égarement, Manaïl sentit que la chambre souterraine commençait à s'affaisser. De la terre et des petits cailloux tombaient du plafond en un flot de plus en plus régulier et les structures de bois émettaient des craquements de plus en plus sonores. Quelques poutres pliaient sous le poids du tunnel qui tremblait. Alarmé, il se fit violence et, au prix d'un immense effort, parvint à se remettre debout. Autour de lui, les éboulis s'accumulaient. Vacillant sur ses jambes, il jeta un coup d'œil vers la cavité.

Le torse du Nergali émergea de l'ouverture. Le visage déformé par la haine et la colère, il ne quittait pas Manaïl des yeux. Cet homme n'avait plus rien de commun avec celui dont le garçon avait sauvé la vie. Il se remettait debout, prêt à achever son jeune adversaire, lorsqu'une poutre de soutènement se détacha tout à coup du plafond dans un fracas retentissant et s'abattit sur lui. Les yeux du Nergali se révulsèrent et il disparut à nouveau dans les profondeurs de la terre, suivi d'un amoncellement de terre, de pierres et de bois. En une seconde, l'accès à la chambre du trésor fut complètement bloqué.

Reprenant un peu ses esprits, Manaïl comprit qu'il devait immédiatement sortir de cet endroit. Il posa son regard sur le frère Enguerrand et ses trois templiers, toujours figés dans leur prière. Il s'approcha et secoua le commandeur.

— Frère Enguerrand! cria-t-il pour couvrir le vacarme assourdissant. Frère Enguerrand! Il faut sortir, vite!

Telle une statue de chair et de sang, le commandeur demeura immobile. Désespéré, Manaïl leva les yeux au ciel.

— Hanokh! hurla-t-il d'une voix brisée. Si tu m'entends, sauve-les! Ils n'ont rien fait! Ils ne méritent pas de mourir!

Le désastre s'accélérait et une grosse pierre aboutit tout près de son pied.

✦

Le *Mishpat* avait le cœur pur… Alors même que sa propre vie était en danger, il se préoccupait de celle des autres; des gens qu'il connaissait à peine… Dans son infinie sagesse, Yhwh avait choisi un être valeureux pour combattre le Mal. Peut-être même trop bon…

Haletant sur la terre nue de sa masure, Hanokh ferma les yeux et murmura une incantation. Après une brève hésitation, la roue du temps se remit à tourner.

✦

— Par la sainte robe de la Vierge, que se passe-t-il? s'écria le frère Enguerrand, effaré, en apercevant le tunnel qui s'effondrait autour de lui.

— Tout s'écroule! cria Manaïl en tirant le commandeur par le manteau. Venez! Il faut sortir! Vite!

Sans plus attendre, il s'élança dans le tunnel aussi vite que sa condition le lui permettait. Il avait fait tout ce qu'il pouvait pour le frère Enguerrand et ses compagnons. Maintenant, sa quête exigeait qu'il survive. Il voyait double et était terriblement étourdi. Ses membres lui obéissaient à peine. Sa jambe droite était remplie d'un feu qui lui remontait jusqu'à l'aine et lui faisait souffrir un véritable martyre. Mais il tenait toujours le fragment du talisman de Nergal bien serré dans sa main. À tâtons, il s'engagea dans le tunnel rempli de poussière.

◆

Jubelo ne ressentait aucune douleur. Avant que la chambre du trésor ne soit à jamais scellée, il avait entrevu que ses jambes étaient pliées dans un angle qui n'avait rien de naturel. Elles avaient été broyées sous le poids des poutres de bois et des pierres qui l'avaient suivi dans la chambre du trésor. Des éclats d'os perçaient la chair de ses cuisses. Mais heureusement, une grosse pierre lui était tombée dans le creux des reins et l'avait privé de sensations. Il se concentra et tenta d'invoquer

les Pouvoirs Interdits, mais rien ne se produisit. Il était trop faible.

Allongé face contre terre dans une complète noirceur, il considérait avec sérénité
l'ironie de la situation. Il allait mourir emmuré
dans la chambre du trésor — un sort identique
à celui qu'il avait lui-même imposé à Hiram
le bâtisseur voilà… deux mille ans ? quelques
années ? quelques jours ? Ces nuances tempo-
relles n'avaient plus d'importance. Sous peu,
pour lui, le temps cesserait d'exister.

Jubelo toussa et sentit du sang lui remplir
la bouche. Il cracha. Ses poumons se vidèrent
de leur dernière bouffée d'air. Il ferma les
yeux. Les ultimes pensées qui lui traversèrent
l'esprit furent pour les richesses et le pouvoir
qu'il ne posséderait jamais quand le Nouvel
Ordre de Nergal serait établi sur le monde. Il
emporta avec lui la haine qui l'avait nourri
pendant toute sa vie.

✦

Le frère Enguerrand et ses trois templiers
fuyaient à toutes jambes dans le tunnel sans
comprendre comment ils en étaient arrivés là.
Il ne manquait que le frère Bruno, mais il
était impossible de retourner le chercher. Le
sinistre gagnait sur eux. S'ils continuaient à
ce rythme, ils parviendraient tout juste à

rejoindre la sortie avant d'être enfouis sous les décombres.

Un cri strident retentit. Refusant de céder à son instinct de survie, le commandeur, soufflant comme un cheval, ralentit le pas et se retourna. Un jeune frère avait reçu une grosse pièce de bois sur la jambe et se tenait la cuisse en grimaçant. Sans hésiter, il fit demi-tour en protégeant sa tête de la pluie de débris. Arrivé près de la victime, il écarta les jambes, banda ses muscles, empoigna la poutre à deux mains et la souleva. Grognant et tremblant sous l'effort, il la déplaça et la laissa retomber sur le sol, puis saisit le jeune templier par les aisselles et le remit sur ses jambes.

— Va, bougre de lambin ! hurla le commandeur à son subalterne hébété. Sauve-toi si tu ne veux pas être enseveli !

Le blessé s'exécuta en claudiquant et le commandeur lui emboîta le pas. Il n'avait franchi que quelques toises lorsque ce qui restait du plafond céda et chuta d'un seul bloc.

Le frère Enguerrand refusa de mourir aussi bêtement. Il allait sortir d'ici. S'il le fallait, il creuserait un nouveau tunnel de ses mains nues, mais il ne repartirait pas de Jérusalem sans les Tables de la Loi et le trésor de Salomon. Il bloqua une poutre de bois avec un de ses avant-bras massifs, qui se fractura sous le choc. Il fit quelques pas de plus, le visage déformé par la détermination et la douleur. Au-dessus de lui, ce qui restait encore du plafond s'ouvrit et laissa dévaler un amas de grosses pierres. L'une d'elles lui percuta la jambe et la broya. Le commandeur s'effondra sur le sol, serrant les dents pour retenir le cri qui essayait de s'échapper. Mais il rejetait toujours la mort. Il avait une mission à accomplir. En se traînant à l'aide de son bras et de sa jambe valides, grognant comme une bête de somme pour tirer sa lourde carcasse, il s'entêtait et continuait à progresser, un empan à la fois.

Une pierre lui tomba sur la tête et lui ouvrit le côté du crâne. Aveugle d'un œil, la moitié du visage en bouillie, il avança une ultime fois. Puis tout devint noir. Au moins, la plupart de ses frères étaient sains et saufs. Devant lui, dans un halo de lumière, apparurent Hugues de Payens et les huit chevaliers avec lesquels il avait jadis fondé l'ordre. Tous ensemble, ils lui ouvrirent leurs bras accueillants et déclarèrent qu'il avait bien servi, que l'heure de son repos éternel était venue. La puissante emprise sur la vie qu'avait toujours eue Enguerrand de Montségur se relâcha.

✦

Sans trop savoir comment, Manaïl atteignit la porte secrète. La sueur lui brûlant les yeux, il tâtonna dans le noir et retrouva le levier de métal du bout des doigts. Il l'actionna. La porte pivota sur elle-même. L'air frais de la nuit s'engouffra dans le tunnel et lui caressa le visage. Il sortit en titubant et se laissa glisser contre la paroi froide.

Les yeux clos, il sentait le fragment qui palpitait dans sa main gauche. La douleur avait envahi tout son corps et il sentait ses forces l'abandonner.

ENTRE LA VIE ET LA MORT

Malgré l'état dans lequel se trouvait Hanokh, son vieux cœur battait si fort qu'il menaçait d'exploser de joie et de soulagement. Le *Mishpat* en était sorti vivant. Mais tout n'était pas terminé. Il devait encore s'assurer que le garçon, fort mal en point, pourrait venir jusqu'à lui. Car le Mal était sorti de sous le temple. Il était plus dangereux qu'il ne l'avait été depuis deux millénaires. Tout se jouait maintenant.

Hanokh se releva de peine et de misère en s'agrippant au rebord de la table. Il se pencha au-dessus du bol, fit apparaître à la surface de l'eau l'image d'un collaborateur fidèle et lui transmit un ordre.

◆

Dans les écuries, Canaille dressa les oreilles, aux aguets. Il tourna la tête à droite, puis à gauche, cherchant l'humain qui lui parlait. Mais il ne vit personne. Dans sa cervelle de cheval, l'événement fut aussitôt oublié et il se remit à brouter tranquillement l'avoine qui remplissait l'auge devant lui.

La voix résonna de nouveau, plus puissante. Canaille sursauta et en rechercha la source, puis il se souvint. L'humain était dans sa tête. Cela s'était déjà produit. Il sentit une étrange transformation s'opérer en lui et se mit à hennir à tue-tête. À force de ruer, il défonça la porte de son enclos et, à corps perdu, s'élança au galop dans la nuit. Il avait une mission capitale à remplir. Il devait sauver quelqu'un de très important.

◆

Toujours appuyé contre le mur des écuries, Manaïl entendit des pas s'approcher dans le tunnel. Quelques secondes plus tard, trois templiers, dont l'un boitait, sortirent en toussant et en crachant avant de se laisser tomber sur le sol.

— Où est le commandeur ? leur demanda Manaïl.

— Mort, haleta le templier blessé. Tout s'est effondré sur lui. Il m'a sauvé la vie. Dieu ait son âme…

Manaïl sentit son cœur se gonfler de peine. Le frère Enguerrand était mort... S'il avait réussi à s'adapter un peu à ce *kan*, c'était grâce au sympathique colosse. Une fois de plus, quelqu'un de bon payait de sa vie pour que lui, l'Élu d'Ishtar, puisse accomplir sa tâche...

Sonné, il s'avança dans le noir et entra en collision avec quelque chose de massif. Il faillit tomber à la renverse, trop épuisé pour se défendre. Étonné, il constata qu'il s'agissait du poitrail de Canaille, presque invisible dans la nuit.

— *Monte*, ordonna le cheval en piaffant d'impatience. *Je dois te mener à Hanokh*.

Manaïl peina pour se hisser sur la monture. Une fois en place, il se laissa tomber contre le cou de la bête et s'accrocha à sa crinière couleur d'ébène avec sa main droite pour ne pas glisser sur le dos dénué de selle. Dans son autre main, il serrait précieusement le fragment.

Canaille se mit en marche. À bout de forces, Manaïl s'évanouit.

Un des survivants aperçut l'écuyer du commandeur qui s'enfuyait au galop.

— Eh! Frère Maurin! Où vas-tu comme ça? s'écria-t-il. Reviens!

Le cheval et son cavalier disparurent dans la nuit, laissant les templiers hébétés dans un nuage de poussière.

✦

Canaille traversa Jérusalem aussi vite qu'il le pouvait sans faire tomber son cavalier. Lorsqu'il arriva devant la masure de Hanokh, il s'arrêta et hennit. Manaïl glissa le long de son poitrail et atterrit lourdement sur le sol, à demi conscient. Au même moment, une main ridée aux longs ongles écarta le vieux rideau souillé.

✦

Dans la rue des mendiants, la vieille de Parsagadès avait vu passer le cheval noir sur lequel l'Élu était affalé. Dans le noir, un sourire satisfait traversa son visage ravagé. Le moment tant attendu était enfin arrivé. Bientôt, elle reprendrait le cours du destin qui était le sien et retournerait à Éridou avec les deux fragments.

✦

Hanokh empoigna Manaïl par les aisselles et, avec grande difficulté, le tira à l'intérieur. Il peina pour l'étendre sur sa paillasse et l'examina sans tarder. Il localisa aisément les morsures sur son talon. Le venin courait dans le sang du *Mishpat* depuis longtemps déjà.

Chaque seconde perdue permettait à la mort de gagner du terrain. Le garçon était courageux et droit. Il ne méritait pas de mourir. Le magicien devait agir rapidement, même s'il retardait l'aboutissement de sa mission.

Aussi vite que le lui permettaient ses vieilles jambes et sa grande faiblesse, Hanokh se dirigea vers une des tablettes qui ornaient les murs. Il y choisit un pot en terre cuite, revint prendre le pichet d'eau sur la table et retourna vers son patient. Il ouvrit le pot, y plongea les doigts et en retira une motte d'un onguent humide et verdâtre. Il ouvrit la bouche flasque de Manaïl, déposa la substance sur sa langue puis fit couler entre ses lèvres l'eau du pichet. Manaïl s'étouffa un peu dans son sommeil mais finit par avaler.

Avec un couteau, Hanokh pratiqua ensuite de petites entailles sur le talon de Manaïl et y appliqua ses lèvres. De toutes ses forces, il suça pour aspirer ce qu'il restait de poison mêlé de sang, puis le recracha sur le sol. Il se rinça la bouche et cracha à nouveau. Il appliqua ensuite sur les entailles une épaisse couche du même onguent. Puis il observa anxieusement le garçon. Il fut soulagé de constater que le médicament faisait déjà effet. Le *Mishpat* vivrait.

Le vieillard se pencha sur Manaïl et lui caressa la joue avec affection. Cet être était vraiment exceptionnel… Il agita la main devant le visage endormi en murmurant une incantation. Le *Mishpat* ne reprendrait pas conscience avant plusieurs heures. Hanokh aurait le temps nécessaire pour accomplir son ultime devoir. Lorsqu'il s'éveillerait, la volonté de Yhwh serait accomplie.

Le magicien ouvrit la main gauche que Manaïl, même inconscient, gardait solidement fermée. D'une main tremblante, il y prit le fragment et le plaça à la hauteur de ses yeux. Depuis la nuit des temps, tant de Mal était concentré dans un si petit objet…

✦

La tête basse, le cœur gros, Canaille reprit sans se presser le chemin de la templerie. Il allait reprendre sa vie de tous les jours et se tiendrait à la disposition de son lourd cavalier. Peut-être aurait-il même un jour le plaisir de livrer encore bataille à ses côtés. Mais il ne reverrait sans doute plus jamais l'écuyer qu'il aimait bien.

36

UN RÉVEIL BRUTAL

« *Élu! Réveille-toi! commandait une voix pressante au loin.* »

Manaïl était allongé sur une plage de sable blond. Un soleil étincelant répandait sur lui ses rayons bénéfiques pendant que des vagues rondes et chaudes lui caressaient les pieds. Il mangeait des figues bien mûres en buvant un vin délicieux. Tout était terminé. Il pouvait enfin se reposer et se sentait merveilleusement bien. Serein. Libre. Ses blessures ne lui faisaient plus mal. Son talon était guéri. Son visage et ses côtes étaient remis des coups sauvages du frère Bruno, le Nergali. Il releva la tête et examina sa poitrine, passa la main dessus et sourit à pleines dents, ravi. Elle était lisse. La vilaine cicatrice avait disparu. Le fragment aussi. Sa mission était terminée.

Il reposa sa tête sur le sable, ferma les yeux et poussa un soupir de contentement.

Aujourd'hui, il ne ferait absolument rien. En fait, pour le reste de sa vie, il ne ferait plus jamais rien. Il en avait bien assez fait. Il s'étira langoureusement en se frottant le crâne en souriant. Ses cheveux avaient repoussé. Ils étaient aussi longs qu'avant.

Derrière ses paupières closes, une ombre masqua le soleil. Il ouvrit les yeux. Elle était là, près de lui, souriante et aussi belle que la première fois qu'il avait posé sur elle son regard ébahi. Les cheveux longs noirs comme l'ébène, les yeux sombres et maquillés, les lèvres pulpeuses formant un large sourire, le cou gracieux, le corps moulé dans une tunique immaculée... Arianath.

Sans rien dire, elle s'assit près de lui, lui sourit avec tendresse et lui mit une figue dans la bouche, l'air taquin. Manaïl ferma les yeux et mastiqua avec délices, au comble du bonheur. Cette folle quête du talisman n'avait été qu'un interminable mauvais rêve. Arianath était une vierge d'Ishtar, pas une Nergali. Bientôt, ils repartiraient ensemble à Babylone. Ils y vivraient heureux. Manaïl deviendrait potier. Il était doué. Il gagnerait bien sa vie. Dans quelques années, Arianath et lui seraient entourés d'enfants dans une jolie petite maison.

La voix vint troubler sa félicité et se fit plus insistante.

— *Élu ! Réveille-toi !*

Contrarié, Manaïl rouvrit les yeux. Au loin sur la plage, une femme s'avançait vers lui d'un pas rapide en agitant la main.

— *Ne la laisse pas approcher,* minauda Arianath *en lui caressant les cheveux. Elle n'apporte que des tourments. Dis-lui de nous laisser tranquilles.*

La femme continua à avancer. Lorsqu'elle fut plus près, Manaïl eut la vague impression de la connaître. Elle portait une longue robe de soie blanche et était coiffée d'une tiare en or. Un lourd collier serti de joyaux pendait à son cou. Dans ses mains, elle tenait une cruche dont l'eau se renversait à chacun de ses pas. Sur ses traces naissaient aussitôt de luxuriants arbres chargés de beaux fruits.

Manaïl sentit son bonheur s'évanouir. Ishtar... Que lui voulait-elle encore ?

La déesse s'accroupit près de lui. De l'autre côté, Arianath *cracha comme un chat effarouché.*

— *Manaïl. Tu dois te réveiller,* répéta la déesse. *Ta quête est en péril.*

— *Mais je suis si bien, déesse. Je me repose enfin... Laissez-moi rester...* plaida-t-il. *Juste un petit peu...*

*Ishtar caressa avec tendresse les cheveux de son Élu. En face d'Elle, les pupilles d'*Arianath

300

s'allongèrent à la verticale et des canines acérées pointèrent entre ses lèvres. Elle se recroquevilla et gronda comme un fauve sur le point de bondir. Ishtar lui adressa un regard rempli de mépris.

— Tu mériterais tant de te reposer, dit la déesse d'une voix pleine de compassion. Tu as été si brave. Mais l'heure n'est pas encore arrivée. Tu dois poursuivre ta quête. Allez, réveille-toi.

Ishtar empoigna l'épaule de Manaïl et le secoua. Puis Elle disparut. Manaïl regarda le magnifique paysage d'un œil nostalgique et soupira de lassitude. Autour de lui, le ciel se gonfla de gros nuages noirs, bientôt suivis par des roulements de tonnerre et des éclairs aveuglants.

Manaïl grimaça. Il venait de ressentir une douleur atroce et familière aux côtes. Et son talon lui faisait mal de nouveau. Sachant d'avance ce qu'il y trouverait, il observa sa poitrine. Le pentagramme inversé y était réapparu, avec ses vilaines cicatrices épaisses et rougeâtres à peine guéries. Sous sa peau, le fragment du talisman de Nergal grouillait. Il laissa retomber sa tête contre le sol, se prit les cheveux à pleines mains et pleura à chaudes larmes. Il devait continuer. Comme un condamné à mort, il n'avait aucun choix.

— Non… gémit-il. Non… Je ne veux pas…

✦

Hanokh était debout au centre de son taudis. Le fragment était posé au milieu de la table. Les yeux fermés et le visage levé vers le ciel, le vieux magicien invoqua Yhwh avec une ferveur qu'il avait oubliée. Les faibles plaintes que le *Mishpat* émettait dans son sommeil troublèrent à peine sa concentration. Il allait bientôt quitter ce monde et plus rien ne lui importait que la conclusion de sa mission sacrée.

Pendant de longues minutes, les bras écartés et les mains ouvertes vers le ciel, Hanokh répéta l'incantation dans la langue des Hébreux. Au ras du plafond, une ombre se forma, gagna en consistance et devint opaque. L'étrange phénomène se mit à tournoyer de plus en plus vite tel un cyclone et se transforma en gros nuages noirs qui s'épaissirent en roulant sur eux-mêmes. Bientôt, tout le plafond disparut derrière les nuages. Un vent violent se leva dans la pièce, faisant claquer les hardes du vieillard qui peinait pour se tenir sur ses jambes.

Sans ouvrir les yeux, Hanokh sourit. L'intensité de ses incantations s'accrut. Des roulements de tonnerre emplirent la masure, étouffant la voix chevrotante du magicien qui dut hurler pour couvrir le vacarme.

Un éclair aveuglant s'échappa des nuages, se divisa en deux et s'abattit sur les mains tendues de Hanokh. Le vieillard vacilla sous le choc. Son visage se contorsionna de douleur, mais il resta debout, les yeux toujours clos, un sourire proche de l'extase sur les lèvres.

Les éclairs se multiplièrent jusqu'à ce que Hanokh disparaisse au cœur d'un apocalyptique tourbillon de lumière puis, spontanément, tout s'arrêta. Le tonnerre s'était tu, les éclairs avaient cessé, les nuages noirs s'étaient immobilisés. Un calme étrange, presque solennel, remplit la pièce. Hanokh ouvrit les yeux et regarda ses mains. Elles étaient entourées d'un halo de lumière si dense qu'il ne voyait plus ses doigts. La puissance de Yhwh était en lui. Le dieu d'Israël avait accepté que son vieux serviteur soit l'instrument de Sa terrible colère. L'ultime tâche qu'il avait attendue, crainte et espérée toute sa vie était commencée.

Déjà, le magicien sentait que l'immense pouvoir dont il était porteur sapait ses derniers lambeaux de vie. Il tituba puis se reprit. Il lui restait peu de temps. D'une voix remplie de l'écho d'un autre monde, il se lança dans une nouvelle incantation. Puis il décrivit un grand cercle avec ses mains étincelantes et les appliqua sur le fragment, libérant d'un seul coup la puissance infinie de Yhwh contre le Mal.

✦

Manaïl ouvrit les yeux et s'assit brusquement sur la paillasse, troublé. Ishtar avait interrompu son rêve. Il fallut quelques instants pour que le souvenir des événements récents lui revienne. La voûte secrète de maître Hiram... Les vipères... Le fragment... L'attaque du frère Bruno... Hanokh qui devait lui enseigner comment détruire le talisman... Mais comment s'était-il retrouvé ici ? Canaille... Canaille l'avait amené.

Il regarda autour de lui et reconnut la maison du magicien. Les premières lueurs du jour l'éclairaient. Il y régnait un étrange silence. Au plafond étaient accumulés d'épais nuages noirs. À l'intérieur... Comment était-ce possible ?

Une voix remplie d'un écho surnaturel s'éleva, psalmodiant une lancinante incantation dans une langue mystérieuse. Manaïl sursauta et se retourna. Debout devant la table, Hanokh lui tournait le dos. Tout à coup, le magicien écarta les mains et décrivit un grand cercle dans les airs. Stupéfié, le garçon constata qu'elles irradiaient une lumière si aveuglante qu'il dut plisser les paupières. Puis Hanokh posa les mains devant lui.

Manaïl réussit à se lever et traversa la pièce en boitillant vers le magicien. Son talon le faisait encore souffrir mais la douleur était moins intense. Il trouva Hanokh les yeux clos, le visage transfiguré, perdu en lui-même et insensible à sa présence. Les mains du vieil homme étaient posées sur la table. Une lumière rougeâtre et de fines volutes d'une fumée âcre et noire fusaient entre ses doigts.

— Que fais-tu, Hanokh ? demanda Manaïl.

Le vieux magicien sursauta comme quelqu'un que l'on tire brusquement d'un sommeil profond. Ses yeux s'ouvrirent, écarquillés. L'incantation mourut entre deux syllabes sur ses lèvres. Il se retourna vers son interlocuteur, l'air hébété.

— *Mishpat...* dit-il d'une voix distante et confuse en constatant la présence de Manaïl. Tu ne dois pas être là...

Avec une vivacité surnaturelle, Hanokh pointa sa main droite, paume levée, vers l'Élu. Un jet de lumière en sortit et frappa le garçon en pleine poitrine avec la force d'une ruade de cheval. Il fut projeté de l'autre côté de la pièce. Son dos percuta violemment le mur de vieilles planches et il se retrouva sur le sol, sonné.

Une expression lointaine sur son visage ridé, Hanokh se désintéressa aussitôt de lui et reprit sa position. Il replaça ses mains illuminées par cette étrange lumière à plat au centre de la table en marmonnant son incantation.

La fumée qui s'élevait entre ses doigts se fit plus épaisse et se répandit dans la pièce, brûlant la gorge de Manaïl. Le magicien, lui, ne semblait pas incommodé.

✦

La rue des mendiants n'était jamais déserte. La nuit, des vagabonds y dormaient un peu partout. Certains y mouraient, aussi. À l'écart, près de la maison du magicien, la vieille de Parsagadès ne s'occupait pas des gens étendus dans la lumière de l'aube. Perplexe, elle observait.

L'Élu était arrivé en bien mauvais état. Naïvement, elle s'était imaginé qu'elle n'aurait qu'à entrer, éliminer le vieux et s'emparer des fragments. Et voilà que quelque chose d'imprévu se produisait et ne lui disait rien de bon. Depuis quelques minutes, une lumière étrange s'échappait entre les planches des murs et sous le rideau sale qui tenait lieu de porte. Elle devrait être prudente. Elle n'avait pas souffert pendant toutes ces années pour échouer si près du but.

Quelques jours plus tôt, elle s'était procuré une épée et un poignard, au cas où... Le marchand d'armes avait semblé amusé de voir une vieille femme décrépite s'équiper ainsi, mais il avait cessé de rire lorsqu'elle lui avait dédaigneusement lancé au visage deux fois plus de pièces d'or que n'en valait sa marchandise. Elle aurait pu le tuer sur-le-champ mais à quoi bon ? Elle avait mieux à faire.

Elle inséra le poignard dans sa ceinture et soupesa l'épée une dernière fois. Peut-être en aurait-elle besoin. Elle écarta prudemment le rideau et jeta un coup d'œil à l'intérieur de la cabane.

POUR LA GLOIRE DE YHWH

Assis sur le sol, Manaïl secoua la tête pour reprendre ses esprits. Une douleur sourde déchirait sa poitrine. Son esprit était plus confus que jamais. Après le frère Bruno, voilà maintenant que Hanokh, qui l'avait pourtant aidé jusqu'ici, se retournait à son tour contre lui. Mais pourquoi ? Depuis leur première rencontre, il avait été loyal. Ne lui avait-il pas donné la marque du roi David pour le protéger du pouvoir du fragment ? N'avait-il pas arrêté le temps pour l'aider à s'en emparer ? N'était-il pas intervenu pour que les templiers échappent à la mort ? N'avait-il pas envoyé Canaille à sa rescousse lorsqu'il était sorti du tunnel, incapable de faire un pas de plus ? Et, de toute évidence, il avait soigné ses morsures de vipères. Ces agissements étaient ceux d'un allié, pas ceux d'un traître. Pourtant, il venait de le frapper en pleine poitrine avec un mystérieux jet de lumière.

Le fragment ! Comment avait-il pu oublier ? Il fouilla dans sa mémoire embrouillée. Le dernier souvenir qu'il en avait était la sensation du petit triangle de métal froid dans son poing serré. Il était monté sur Canaille puis plus rien… Il s'était réveillé chez Hanokh. Anxieux, il tâta ses vêtements sans succès puis se précipita vers la paillasse. Peut-être l'avait-il laissé tomber dans son sommeil ? Il chercha. Rien. Le fragment avait disparu. Il n'y avait qu'une seule explication possible. Hanokh. Manaïl se retourna vers le vieillard, qui était resté indifférent à ses déplacements.

Au même instant, la vieille carcasse du magicien se cabra et il émit un râle piteux. Les yeux exorbités levés vers le ciel, la bouche ouverte en un hurlement muet, il tremblait de tous ses membres. La peau de ses mains était noircie comme du charbon et fumait. Entre ses doigts fusait une intense lumière, semblable à celle du métal rougi au feu. Une chaleur extrême se répandait dans le taudis.

Une voix résonna dans la tête du garçon interdit. Il la reconnut aussitôt. C'était celle de son rêve. Celle de la déesse. Elle était pressante.

— *Le fragment ! Il détruit le fragment !* s'écria Ishtar.

Manaïl ne comprenait pas le ton urgent de la déesse. Tant mieux, si Hanokh détruisait le fragment. Ça en ferait un de moins...

— *Non !* hurla la voix. *Le fragment doit être préservé ! Rappelle-toi la prophétie des Anciens, Élu !*

Manaïl reporta son regard vers le magicien. Tout son corps frêle tremblait comme une feuille au vent. Ses mains n'étaient plus que des os couverts de chair carbonisée et ses avant-bras avaient commencé à noircir à leur tour. La chair était déjà consumée jusqu'aux coudes. La lumière rouge qui brillait sous les mains de Hanokh était devenue aveuglante.

La prophétie des Anciens... *L'Élu se lèvera, rassemblera le talisman et le détruira...* Mais bien sûr ! Pour pouvoir détruire à jamais le talisman de Nergal, il devait d'abord l'assembler ! C'était pour cela qu'Ishtar avait encastré le premier fragment dans sa poitrine. Pour le protéger. Si un seul était détruit, le talisman ne pourrait pas être assemblé et l'ultime éradication serait impossible. Les quatre fragments restants survivraient à jamais. Et avec eux, le Mal. La possibilité que Nergal puisse un jour pénétrer dans cet univers et y instaurer son Nouvel Ordre continuerait d'exister. Peut-être quelqu'un posséderait-il un jour la capacité de fabriquer à nouveau le fragment manquant. Il devait à tout prix empêcher Hanokh de le détruire!

— *Tu as compris!* s'écria Ishtar dans sa tête. *Maintenant, va, Élu! Vite!*

— Noooooooon! hurla Manaïl en s'élançant vers le vieillard.

Manaïl empoigna à deux mains un des avant-bras noircis. Il sentit aussitôt la morsure de la chaleur sur ses paumes et ses doigts. Endurant la douleur, il tira de toutes ses forces. Hanokh ne broncha pas. Le membre sec était aussi dur que la grande muraille de Babylone.

Sous le regard ébahi de l'Élu, la chair des bras de Hanokh continua à se carboniser. Le vieux corps se mit à vibrer encore plus fort et le mouvement se propagea à Manaïl. Il fut secoué avec une telle violence qu'il dut lâcher prise. Il recula, les mains couvertes de rougeurs douloureuses.

— Hanokh! Arrête! commanda-t-il. Tu ne dois pas détruire le fragment!

Hanokh n'eut aucune réaction.

Manaïl encercla la taille du magicien de ses bras et tenta de le tirer vers lui, sans plus de résultats. On aurait dit une statue de pierre. La chair du magicien était maintenant consumée jusqu'aux épaules. Le phénomène gagnait lentement son torse et son visage. Sur sa peau se formaient de grosses cloques qui éclataient aussitôt en laissant s'écouler un liquide clair. Bientôt, ce serait le corps entier du magicien qui s'embraserait.

Il le lâcha, considérant ce qu'il pourrait faire d'autre. Le visage du magicien prit une expression de douleur mêlée de sérénité.

— Je... je suis... désolé, *Mishpat*, dit le magicien en articulant difficilement. Le... *Mish*... *Mishpat* a accompli sa mission. Maintenant, le... *Tsedeq* doit remplir... la sienne et détruire le Mal...

— Tu ne comprends pas..., gémit Manaïl. Ce que tu crois être le Mal n'est rien en comparaison de ce que je cherche! Il existe quatre fragments identiques à celui-ci. Je dois les retrouver tous pour pouvoir les détruire. Si tu brises celui-ci maintenant, tu me condamnes à l'échec. Le mal continuera d'exister. Je t'en supplie! Arrête!

Les yeux de Hanokh enflèrent sous la terrible chaleur qui se répandait en lui puis explosèrent dans sa tête.

— C'est... toi qui ne... comprends pas... *Mishpat*, râla-t-il. Yhwh... est le seul... vrai dieu. Personne d'autre... que Lui ne... doit régner... sur Israël. Toute trace... des autres divinités doit... être effacée. L'objet maudit... qu'on a eu... l'audace... d'enfouir dans le... Saint des Saints, doit... être détruit par... la colère de Yhwh.

Le visage du magicien était maintenant entièrement noir. Mais le vieil homme restait debout, ce qui lui restait de mains fermement appliqué sur le fragment.

— Yhwh… est… grand… murmura-t-il avant que la vie ne le quitte.

Entre les doigts du cadavre toujours debout, la lumière s'intensifia.

LA VENGEANCE D'UNE FURIE

Manaïl se sentait entièrement démuni face à la puissance divine qui se manifestait à travers le corps du magicien. Que pouvait-il faire, lui, un simple mortel sans armes, devant la colère vengeresse d'un dieu ?

Par bonheur, le fragment était porteur d'un grand pouvoir. Pour le moment, il semblait résister à celui de Yhwh mais, tôt ou tard, il céderait et serait détruit. L'objet de la quête de Manaïl serait réduit en cendres devant ses yeux et il était impuissant à l'empêcher. Se surprenant à souhaiter que le fragment maudit au pouvoir abject survive, il comprit toute l'ironie de sa situation.

Il devait continuer d'essayer, même s'il fallait en mourir. En désespoir de cause, Manaïl empoigna une fois de plus les avant-bras du magicien et se mit à tirer de toutes ses forces, mais rien n'y fit. Ils semblaient être de pierre.

Au même instant, un cri strident, primal, retentit dans la masure. Manaïl se retourna juste à temps pour voir une furie sortie tout droit de ses pires cauchemars surgir dans la pièce et foncer sur lui. La chevelure en broussaille tel un halo blanc autour de sa tête, la vieille femme avait le visage déformé autant par une rage démente que par les affreuses cicatrices qui en couvraient le côté droit. Au milieu de cet amas violacé trônait un œil crevé, blanchâtre et purulent. Ses haillons laissaient entrevoir des membres parsemés d'épaisses cicatrices. Elle accourait en boitillant, le dos voûté. Les mains levées au-dessus de sa tête, elle brandissait une épée. On aurait dit un bourreau sur le point d'accomplir les hautes œuvres de la justice.

Avant que Manaïl ait pu relâcher son emprise sur l'avant-bras de Hanokh, la vieille furie avait traversé la pièce. Elle abattit son arme et trancha net les bras du magicien. Manaïl sentit l'épée frôler ses mains au passage. Coupé de la force qui le retenait à la table, le vieillard tituba et tomba lourdement sur le dos sans la moindre réaction.

Manaïl constata avec stupéfaction qu'il tenait toujours entre ses mains les avant-bras carbonisés de Hanokh. Entre les doigts squelettiques, la lumière iridescente perdait de son intensité. Effaré par ce spectacle sordide, il ne vit pas la vieille faire pivoter son arme avec une agilité étonnante. Les deux mains sur le manche, elle frappa avec hargne et empala la main gauche de Manaïl sur la table. La lame s'enfonça profondément dans le bois épais du meuble. Il se raidit et hurla à fendre l'âme avant de choir au sol, haletant et aveuglé par la douleur, la main fixée à la table. Un voile noir menaçant de recouvrir sa conscience, il parvint à se relever, les jambes flageolantes.

Lorsqu'il rouvrit les yeux, la vieille lui souriait.

✦

Canaille n'était pas pressé. Il s'était souvent arrêté en chemin pour manger les rares touffes d'herbes fraîches qui parvenaient à pousser dans Jérusalem. Il était à mi-chemin vers la templerie lorsqu'il cessa brusquement de mastiquer, les oreilles dressées, en alerte. Dans sa tête, un cri terrible avait retenti. Il connaissait cette voix. C'était celle de l'écuyer qu'il aimait tant. Celui qu'il venait d'amener chez le magicien. Il était en danger. Encore.

Le cheval hennit, fit demi-tour et s'élança avec toute la vitesse que lui permettaient ses jambes puissantes, sa crinière noire flottant au vent.

✦

Sans quitter Manaïl des yeux, la mystérieuse vieillarde saisit les mains réduites en cendres de Hanokh, les arracha de la table et les lança avec dédain de l'autre côté de la pièce. Au centre de la table, le fragment du talisman de Nergal était rouge et brûlant. Autour de lui, la surface de bois était en flammes.

Un sourire maniaque sur le visage, la vieille ferma lentement, presque sensuellement, les doigts sur le fragment. Un grésillement sinistre se fit entendre et une fumée répugnante s'éleva entre ses doigts. Elle ramena son poing à la hauteur de son visage, rouvrit les doigts et sembla satisfaite. Puis elle retourna sa main en direction de Manaïl et lui montra sa paume. Au milieu d'une affreuse brûlure sanguinolente, le fragment était encastré dans la chair. Les lèvres relevées en un sourire carnassier sur les quelques dents qui lui restaient, la femme semblait trouver un plaisir pervers dans sa souffrance. Puis elle se mit à rire à gorge déployée.

Soudain, son regard s'embruma et, l'espace d'un instant, Manaïl crut y percevoir quelque chose qui s'approchait de la tendresse.

— Manaïl, murmura-t-elle en caressant la main empalée du garçon. Quel dommage… Si seulement tu n'avais pas été chargé de cette maudite quête, les choses auraient pu être différentes entre nous. Ensemble, nous aurions pu régner pour l'éternité...

Ce moment ne dura pas. Aussi vite, la folie reprit toute la place dans le regard de l'étrangère.

— Manaïl... reprit-elle d'une voix remplie de sarcasme lorsqu'elle fut un peu calmée. Le grand héros... L'Élu d'Ishtar... Te voilà dans une bien piteuse position.

— Qui es-tu? souffla le garçon, le visage crispé par le supplice qu'il endurait.

La vieille se mit les mains sur les joues à la manière d'une jouvencelle offensée.

— Ohhh... Tu m'as déjà oubliée... Vraiment, tu me fais beaucoup de peine, dit-elle en faisant une moue théâtrale. Pourtant, il n'y a pas si longtemps, tu me trouvais bien séduisante. Tu ne te souviens vraiment pas?

Submergé par la douleur, Manaïl avait peine à se concentrer. Que voulait dire cette vieille folle? Qui était-elle? Il ne la connaissait pas. Et pourtant, son visage ravagé avait quelque chose de vaguement familier.

De nouveau, la démence quitta momentanément le regard de la vieille, qui lui caressa la joue du bout des doigts.

— Moi aussi, je te trouvais séduisant... Une partie de moi s'imaginait même abandonner mes frères et sœurs pour vieillir avec toi, soupira-t-elle. Manaïl... Pour toi, j'ai presque trahi...

L'étrangère secoua la tête, troublée.

— Allez, fais un petit effort, minauda la femme avec une perversité renouvelée. Tu as déjà oublié cette nuit, derrière le temple de Gula, à Babylone ? Moi qui croyais t'avoir fait bonne impression...

Sidéré, Manaïl en oublia presque l'épée qui lui clouait la main à la table. Le temple de Gula... Babylone... Il essayait désespérément de voir le visage qui se cachait derrière les horribles cicatrices.

— Et le temple d'Ishtar ? La procession de la fertilité ? poursuivit la vieille. Tu donnes ta langue au chat ? Bon, alors rappelle-toi cette nuit, dans la maison de ton maître Ashurat, où tu m'as crevé l'œil, sale petite ordure !

Manaïl chancela et seule l'épée qui lui transperçait la main l'empêcha de tomber à la renverse. Par Ishtar... Était-ce possible ?

— Arianath... lança-t-il, stupéfié.

La vieille le regarda intensément et Manaïl eut l'impression fugace que son œil valide se mouillait de larmes. Puis la malfaisance y rétablit son emprise.

— Pour te servir, ô Élu d'Ishtar, répondit-elle en faisant une révérence moqueuse. Quel plaisir de te retrouver toujours aussi jeune et beau. Comme tu vois, moi, je n'ai pas eu ta chance. Et c'est à toi que je le dois.

— Mais… Mais… Comment ?… balbutia Manaïl.

— C'est sans importance, rétorqua la Nergali. Disons que j'ai trouvé le temps très long à Parsagadès. Nergal a eu pitié de moi et m'a fait perdre la mémoire. Sinon, je crois que l'amertume m'aurait tuée avant que je puisse revenir te dispenser toute mon affection…

Avec une démarche qui se voulait crâneuse mais que sa claudication rendait grotesque, Arianath contourna la table et s'approcha de Manaïl. Elle colla la bouche contre son oreille. Le garçon se hérissa de dégoût.

— J'espère que tu seras encore content de m'avoir retrouvée lorsque j'en aurai terminé avec toi, lui chuchota-t-elle.

Arianath sortit un poignard de sa ceinture et, d'un seul coup habile, découpa la chemise de sa victime. Elle l'écarta vers les côtés, mettant à nu la cicatrice sur la poitrine de Manaïl.

— Que voilà un joli dessin ! dit-elle en avisant le pentagramme inversé. S'il avait été exécuté avec un peu plus de finesse, il aurait été digne d'un Nergali. Enfin… C'est quand même dommage que je doive le gâcher…

Arianath promenait la pointe de son arme sur la poitrine exposée de Manaïl.

— Il est temps d'en finir, dit-elle en relevant vers lui un regard d'où toute compassion était désormais bannie. Le Nouvel Ordre ne doit pas attendre.

Elle allait enfoncer la pointe de son poignard dans la chair de Manaïl lorsque ce dernier, concentrant ce qui lui restait de force, la poussa brusquement de sa main droite et profita du fait qu'elle tombait à la renverse pour empoigner le manche de l'épée. Il tenta de déloger l'arme de la table, sans plus de succès que la fois précédente. Elle y était bien enfoncée. Il grimaça et des larmes lui remplirent les yeux mais il refusa de crier.

— Tiens-toi tranquille ! ordonna Arianath.

Elle poussa le poignard dans sa poitrine, le fit tourner sur lui-même et élargit cruellement la blessure. Manaïl se mordit les lèvres jusqu'au sang, qui coula le long de son menton, sans pouvoir retenir un hurlement. Il se sentit défaillir mais parvint à fixer sur Arianath un regard rempli de haine.

Insensible, la Nergali tailla la chair autour du fragment pour le dégager. L'objet maudit était logé profondément et semblait refuser de se laisser extraire.

— J'espère qu'Ishtar t'a réservé une place agréable dans le Royaume d'En-Bas, se moqua Arianath. Ashurat t'attend sans doute pour te consoler d'avoir échoué.

Rendu presque catatonique par la douleur, la perte de sang et l'épuisement, Manaïl se laissa faire, brisé et vaincu. Sa quête était terminée. Il n'allait vivre assez longtemps que pour voir Arianath s'enfuir avec les deux fragments. Puis, il expirerait, la main toujours clouée à la table.

39

LE SAUVEUR

Un hennissement puissant retentit à l'extérieur. Le rideau fut arraché, laissant pénétrer la lumière du jour naissant, et Canaille surgit dans la pièce telle une immense masse de colère noire comme la nuit. Le regard enflammé, le cheval se redressa et, ses jambes avant décrivant de puissants moulinets, asséna de violents coups de sabot à la tête et au torse d'Arianath. Prise par surprise, le visage révulsé de terreur, la Nergali se protégea tant bien que mal en levant les bras. Un sabot en plein front la fit crouler inconsciente sur le sol, le crâne ouvert et ensanglanté.

Canaille retomba sur ses jambes, porta son regard sur Manaïl, s'ébroua fièrement et lui poussa le visage avec son museau. Couvert de sueur, l'Élu trouva l'énergie de lui caresser la crinière de sa main libre.

— Tu es... arrivé à temps... mon vieux... bredouilla-t-il. Juste à temps... Merci.

Manaïl faillit s'évanouir. Canaille passa la tête sous son bras et lui offrit le support de son cou. Stabilisé, le garçon considéra l'épée qui lui clouait toujours la main sur la table. Comme s'il avait compris la situation de son écuyer, Canaille pivota sur lui-même, et donna un puissant coup de sabot sur l'arme avec une jambe arrière. La lame se rompit aussitôt en deux.

Dans un ultime effort, Manaïl fit glisser sa main le long de la lame brisée jusqu'à ce qu'elle en soit dégagée, transpercée et sanglante. Il s'effondra sur le sol, tremblotant, sous le regard inquiet de Canaille. Il sentait son pouls palpiter dans sa blessure, d'où un sang écarlate s'échappait par jets. Arianath avait transpercé l'étoile de David. Tenant sa main blessée contre sa poitrine ensanglantée, il avisa la Nergali, toujours inconsciente, et sentit la colère monter en lui. Il ramassa le poignard qu'elle avait laissé tomber sur le sol, se traîna vers elle et s'agenouilla, une grimace féroce sur le visage.

Au même moment, un élancement cinglant traversa sa main blessée. Instinctivement, il la regarda. La chair s'y reconstituait sous ses yeux éberlués. Bientôt, l'étoile de David fut de nouveau entière. Sa main, si mal en point quelques moments auparavant, était guérie. *Comme la Création repose sur le Bien, elle vient en aide à ceux qui ont le cœur pur,* avait dit le magicien. Manaïl eut une pensée reconnaissante pour Hanokh, dont le cadavre calciné gisait près de lui. Soit, le vieil homme l'avait manipulé et trompé. Mais il l'avait fait pour accomplir ce qu'il croyait être son devoir. Malgré les apparences, il ne lui avait voulu aucun mal. L'effet inattendu de la marque de Yhwh en était la preuve. Ishtar lui avait prophétisé un sauveur dans ce *kan* et, à sa façon, Elle avait eu raison, comme toujours.

Se souvenant du soulagement que lui avait procuré la marque de Yhwh chaque fois que le fragment lui faisait mal à la poitrine, Manaïl posa sa main régénérée sur la plaie qu'Arianath y avait ouverte. Il sentit aussitôt une chaleur bénéfique se répandre sur sa peau nue. Il ferma les yeux et s'abandonna à la douce sensation. Lorsqu'il les rouvrit, la blessure était cicatrisée. L'affreux pentagramme avait repris sa forme habituelle, toujours bombé par le fragment qui y était incrusté. Les coupures infligées par Arianath n'étaient plus que de minces lignes roses.

Encore faible, l'Élu reporta son attention sur la Nergali. Étendue sur le sol, elle reprenait conscience et gémissait. Du sang coulait en abondance de l'entaille sur son front. Pris d'une colère noire, Manaïl s'approcha et s'accroupit au-dessus d'elle. Il saisit le poignard à deux mains et l'éleva au-dessus de sa tête, la pointe vers le bas.

Il regrettait amèrement d'avoir déjà choisi de laisser la vie à cette vipère. C'était une grave erreur. La quête de l'Élu exigeait qu'il soit impitoyable. Son âme devait être forgée dans le feu de la colère et son cœur devenir de pierre. Sinon, il échouerait. Il devait combattre le Mal par le Mal, comme la prophétie des Anciens l'avait annoncé.

Manaïl visa le cœur. Il imaginait la résistance qu'offriraient les os en se brisant, puis la sensation gélatineuse lorsque la lame s'enfoncerait dans l'organe flétri qui, il en avait la conviction, ne contenait que de la haine et de la glace. Mais son geste resta suspendu. Il essayait de toutes ses forces mais n'y parvenait pas. S'il devait tuer, il le ferait, certes. Mais pas pour le plaisir. Sinon, quelle différence resterait-il entre lui et les Nergalii qu'il méprisait tant ?

Arianath gémit, ouvrit les yeux et aperçut Manaïl, déchiré par l'indécision, une arme pointée vers son cœur. Elle referma les yeux et étendit les bras. Autour d'elle, l'air se mit à vibrer. Avant que l'Élu ne puisse réagir, elle avait disparu. Avec le fragment.

Manaïl releva la tête, hurla de rage et abattit son poing sur le sol à plusieurs reprises. À cause de ses vaines tergiversations, Arianath lui avait échappé. Puis il releva la tête, les yeux brillants, un sourire cruel sur les lèvres. Tout n'était pas encore perdu. Il ne tuerait pas par plaisir. Mais il n'hésiterait pas à le faire pour récupérer un fragment.

Il se releva, s'élança vers la porte et sortit. Puis il se tourna vers Canaille.

— Viens vite, dit-il à la bête, qui le suivit docilement.

Une fois à l'extérieur, il enfourcha la monture et lui donna de petits coups de talon dans les flancs.

— Cours, Canaille! cria-t-il. Cours!

Trop heureux d'être encore utile à son écuyer, Canaille s'élança dans la rue des mendiants.

FAUSSE MISSION

Monté sur Canaille, Manaïl fila comme une bourrasque de vent dans Jérusalem encore assoupie. L'animal semblait comprendre d'instinct où son cavalier désirait se rendre. Il ne leur fallut que quelques minutes pour arriver en vue de la porte Saint-Étienne. Manaïl tira doucement sur la crinière de sa monture pour lui signifier de s'arrêter. Canaille bloqua ses jambes arrière et laissa une longue trace de freinage sur le sol. Lorsqu'il fut immobilisé, il se cabra et agita les jambes avant. Puis, sa mission accomplie, il laissa Manaïl descendre.

Ses pieds avaient à peine touché le sol que le garçon se mit à courir. Il était à quelques pas de la lourde porte fortifiée lorsque la voix autoritaire d'une sentinelle l'arrêta net. Il allait devoir jouer serré. Mais son plan était solide.

— Qui va là ? fit une voix du haut de la muraille.

— Le frère Maurin de l'Isle, répondit Manaïl.

— Qu'est-ce qu'un frère servant fait ici à une heure pareille ? s'enquit la sentinelle, intriguée.

— Par ordre du commandeur de la cité de Jérusalem, Enguerrand de Montségur, dont je suis l'écuyer, ouvre cette porte sur-le-champ, déclara Manaïl en espérant secrètement que le frère Enguerrand, où qu'il soit, lui pardonnerait d'évoquer ainsi son souvenir.

Sceptique, le templier de garde emprunta l'échelle de bois et descendit de la muraille pour venir se planter devant l'intrus.

— Avec la menace turque qui s'annonce, il va me falloir plus que ça pour ouvrir à l'aube, frère Maurin, dit-il en le toisant avec suspicion. Tu as un ordre écrit ?

Manaïl hésita puis il eut une idée.

— Quel est ton nom ? lança-t-il soudain.

— Je suis… le frère… Théobald, balbutia le templier, un peu intimidé.

— Alors, ouvre bien grandes tes oreilles encrassées, frère Théobald. Je n'ai pas de temps à perdre. Le frère Enguerrand m'a confié une mission urgente et confidentielle. Je ne puis rien t'en révéler, sinon qu'elle est liée à la situation inquiétante que tu viens de mentionner, expliqua Manaïl d'un air entendu. Si tu me laisses passer, je vanterai ton bon jugement au commandeur. Si tu me fais des misères, tu encourras sa colère. Et je peux t'assurer qu'elle aura des proportions apocalyptiques. À toi de décider.

Le frère Théobald sembla soupeser ses options.

— Très bien, concéda-t-il lorsqu'il fut décidé. Tu peux passer.

— Avant de partir, j'ai besoin d'un manteau, d'une cotte de mailles, d'un heaume et d'armes.

Le frère Théobald se retourna vers un autre garde resté sur la muraille et l'interpella.

— Hé! Frère Faustin! Apporte-moi un manteau, une cotte de mailles, un heaume et des armes, tu veux?

Manaïl attendit en piaffant d'impatience l'arrivée du frère Faustin.

— J'ai l'air d'un frère armurier, peut-être? Ce ne sont pas les magasins, ici, grommela-t-il. Je n'ai rien d'autre que ce que je porte, moi.

— Ça fera l'affaire, coupa Manaïl en tendant la main. Allez. Déshabille-toi!

Les deux templiers se regardèrent et haussèrent les épaules. Le frère Faustin soupira et commença à se dévêtir. Lorsqu'il fut en chemise et en culotte, Manaïl passa la cotte de mailles et le manteau à croix rouge par-dessus sa chemise tailladée et ensanglantée. Il passa un gantelet de métal à sa main droite mais jeta au sol le gauche. Il coiffa le lourd heaume de métal, puis boucla la ceinture autour de sa taille. Dans son for intérieur, il avait l'impression d'usurper le droit de porter cet uniforme que son initiation lui interdisait. Mais là où il allait, il en aurait besoin. Il sortit l'épée de son fourreau et tendit les bras pour l'examiner. Elle était droite et bien aiguisée. Il donna quelques coups dans le vide pour s'y habituer, la faisant siffler. Puis il la rengaina et s'assura que la dague était bien en place dans la ceinture.

Lorsqu'il fut prêt, il se retourna vers les deux templiers médusés.

— Alors, qu'est-ce que vous attendez, bougres de chameaux ? vociféra Manaïl, qui prenait un malin plaisir à imiter le frère Enguerrand. Vous prévoyez m'ouvrir ce matin ou demain ?

— Tout de suite, frère Maurin, acquiescèrent les templiers à l'unisson en se précipitant vers la porte.

Manaïl se retourna vers Canaille et lui caressa le museau.

— Merci encore, brave bête. Retourne aux écuries, maintenant.

Canaille hennit.

À deux, les templiers peinèrent pour soulever la lourde poutre qui tenait la porte fermée.

Lorsque ce fut fait, Manaïl s'approcha et poussa avec l'épaule jusqu'à ce que la porte Saint-Étienne s'entrouvre. Il saisit au passage une torche fichée dans un socle sur le mur de pierre et se glissa dans la mince ouverture.

— Eh ! Frère Maurin ! cria le frère Théobald. Ton cheval !

— Je n'en ai pas besoin, rétorqua Manaïl de l'autre côté. Laisse-le faire. Il retournera lui-même aux écuries !

Manaïl referma la porte avec son épaule. Déconcertés, les templiers laissèrent retomber la poutre.

— Ce blanc-bec est bien imbu de sa personne pour un simple frère servant... ronchonna le frère Faustin, gêné dans ses sous-vêtements.

— Tu l'as dit, répondit le frère Théobald. Mais mieux vaut un léger camouflet à notre orgueil que le courroux du commandeur...

— Ouais... *CAVE CANEM*[1] ! dit le frère Faustin en riant.

Les deux sentinelles retournèrent à leur poste. Le jour était levé. Bientôt, ils seraient remplacés. Le frère Faustin devrait seulement expliquer comment il se faisait qu'il montait la garde en chemise et en culotte, sans armes.

_____

1. En latin : Attention au chien.

✦

La porte Saint-Étienne refermée, Manaïl approcha sa bague de la torche et la chauffa. Bientôt, le pentagramme y apparut sur la pierre noire et éclaira. Satisfait, il enfonça la tête de la torche dans le sable pour l'éteindre.

Il tendit le joyau devant lui, à la recherche de la petite pyramide de pierre qu'il avait construite lors de son arrivée à Jérusalem. Il la trouva sans effort. L'ouverture qu'il avait franchie pour entrer dans ce *kan* se matérialisa tout près de la porte Saint-Étienne. Il jeta un coup d'œil au sommet de la muraille. Les deux sentinelles étaient là. Il les entendait discuter. Le frère Théobald semblait bien rire de la situation embarrassante du frère Faustin. Plus personne ne se préoccupait du frère Maurin et c'était bien ainsi.

Manaïl poussa la porte. Après les péripéties qu'il venait de vivre, le long couloir de pierre froid et humide, éclairé par des torches qui semblaient ne jamais s'éteindre, lui parut presque accueillant. Il entra et referma la porte sur le *kan* de Jérusalem.

ENTRE DEUX *KAN*

Dans le temple du Temps

Manaïl parcourut le long couloir en courant à toutes jambes, le fourreau rebondissant contre sa cuisse. Il atteignit vite la porte qui donnait sur la chambre du temple du Temps. Il l'ouvrit et, pour la troisième fois, pénétra dans l'espace sacré que lui avait révélé son maître. Rien n'avait changé. Au centre de la pièce circulaire, la dépouille de maître Ashurat gisait toujours sur l'autel. Les mains jointes sur la poitrine, une expression de profonde sérénité sur le visage, elle n'avait pas été altérée par les jours passés à Jérusalem. Se rappelant que le temps ne s'écoulait pas dans cet endroit, Manaïl s'approcha et caressa la joue froide du mort.

— Comme je voudrais que vous soyez là pour me guider, maître, murmura-t-il avec lassitude. C'est difficile. Si difficile... Tout n'est que mort et trahison... Si j'avais su ce que vous me demandiez, je n'aurais jamais accepté.

Les lèvres serrées pour retenir des sanglots que l'urgence de la situation lui interdisait de verser, Manaïl s'éloigna à regret de la dépouille et tendit sa bague, qui s'illumina aussitôt. Sur chacune des portes scintilla un symbole : un pentagramme bénéfique ✡, un pentagramme inversé ✡, deux triangles équilatéraux superposés ✡, un symbole similaire mais dont les lignes horizontales semblaient enfoncées au centre ✡, un étrange motif qui rappelait une équerre et un compas ⟆ et deux triangles équilatéraux entrelacés ✡.

Le visage de Manaïl fut traversé par un sourire vorace. Il avait déjà franchi deux de ces portes. Il savait exactement laquelle il devait prendre maintenant. Il dégaina son épée et la soupesa pour s'assurer de l'avoir bien en mains.

Il ouvrit la porte et quitta le temple du Temps vers un *kan* qu'il avait déjà l'impression de connaître sans jamais l'avoir visité.

LE TRIOMPHE DE LA NERGALI

Éridou, en l'an 3612 avant notre ère

Dans leur temple, quatre adorateurs de Nergal, vêtus de leurs longues toges noires, étaient disposés en cercle et discutaient à mi-voix. Les autres étaient partis se reposer ou exploraient les *kan*, à la recherche des fragments. Aucun d'eux ne remarqua l'air qui vibrait à l'écart.

— Jubelo devrait être revenu depuis longtemps, déclara sur un ton inquiet la femme à la tête rasée et au visage tatoué. Il est parti voilà plusieurs heures déjà... Il lui est peut-être arrivé quelque chose.

— Cesse de te poser des questions et attends ! coupa Mathupolazzar en écartant ses longs cheveux de son visage d'une main distraite. Jubelo est rusé. Il a dit qu'il nous ramènerait le fragment et il le fera.

— Que Nergal t'entende, Mathupolazzar, dit d'une voix chevrotante le vieillard barbu qui se tenait à sa droite. Que Nergal t'entende...

— Je pourrais me rendre auprès de lui, suggéra un jeune Nergali frêle et à peine sorti de l'enfance, soucieux de plaire à son maître. Peut-être qu'il a besoin d'aide et que...

— Ton tour viendra, l'interrompit le grand prêtre. Mais si j'envoie tout le monde dans d'autres *kan*, il ne restera plus personne ici pour établir le Nouvel Ordre.

Dans la pénombre des torches, sans que personne s'en rende compte, une vieille femme échevelée, le visage ravagé par d'affreuses cicatrices et ensanglanté, se matérialisa. Elle regarda autour d'elle et eut une expression de soulagement et de ravissement entremêlés. Elle s'approcha lentement des Nergalii. De son œil valide émanait un soupçon de folie.

— Peut-être sera-ce quelqu'un d'autre que Jubelo qui te ramènera le fragment, Mathupolazzar, dit-elle. La vie réserve parfois des surprises...

Les Nergalii sursautèrent à l'unisson devant l'intruse. Ils eurent un mouvement de recul dédaigneux à la vue du visage défiguré.

— Emparez-vous d'elle ! ordonna Mathupolazzar enfin sorti de sa stupeur.

Un jeune costaud qui se tenait en retrait se précipita vers la repoussante apparition, la saisit par les bras, passa derrière elle et lui appuya la lame effilée de sa dague sur la gorge. La vieille n'offrit aucune résistance. Elle sembla même s'amuser de cette réaction. Elle se contenta de sourire et de secouer la tête avec dépit.

— Qui es-tu pour maîtriser ainsi les Pouvoirs Interdits ? tonna le grand prêtre de Nergal d'une voix empreinte d'indignation.

— Depuis quand les Nergalii ne les maîtrisent-ils pas de plein droit ? rétorqua la vieille avec hauteur. N'est-ce pas là ce qui distingue les adorateurs de Nergal des simples mortels, ô Mathupolazzar ?

Interdit, le grand prêtre posa ses yeux perçants sur le visage de la femme et hésita.

— Qui es-tu ? redemanda-t-il après quelques secondes.

— Dis d'abord à ton laquais de me lâcher, répliqua-t-elle avec mépris.

De la tête, Mathupolazzar fit signe à son fidèle de libérer l'intruse.

— Voilà qui est mieux, dit la vieille en riant. J'ai sacrifié ma jeunesse, ma santé et ma beauté à Nergal. Celle qui se tient aujourd'hui devant toi n'est plus qu'une relique croulant sous le poids des années et qui n'a qu'un désir : contribuer de son mieux à l'avènement du Nouvel Ordre. Et j'apporte quelque chose qui t'aidera grandement.

Mathupolazzar approcha son visage tout près de celui de l'étrangère. Une odeur de décrépitude, de crasse et d'infection lui remplit les narines et lui fit plisser le nez avec dégoût. Tout à coup, ses yeux s'écarquillèrent : il reconnut celle qui, voilà quelques semaines à peine, était la plus jeune, la plus belle et la plus prometteuse de ses disciples.

— Arianath… murmura-t-il, ahuri.

— Oui. Arianath. Enfin, ce qu'il en reste, répondit-elle, la voix pleine d'amertume.

— Mais… par Nergal… Que… Que t'est-il arrivé ? balbutia le grand prêtre.

— Avec mon aide, Pylus avait fomenté l'invasion de Babylone par les Perses. Il avait presque réussi à mettre la main sur Manaïl…

— Manaïl ? répéta le vieux Nergali.

— L'Élu. C'est son nom. Pylus l'avait coincé mais il a réussi à s'échapper. Il a été fait prisonnier par les Perses et je l'ai libéré. Sans le savoir, il m'a conduit jusqu'au fragment, que conservait Ashurat. Ce vieux fou se l'était caché dans l'œil… dit Arianath avec dépit en touchant inconsciemment son propre œil borgne du bout des doigts.

— Et alors ?

Arianath hésita un moment.

— Alors, Pylus s'est emparé du fragment mais... Manaïl l'a tué, mentit-elle. Lorsque je suis arrivée, il était déjà mort. J'ai réussi à prendre le fragment, mais Manaïl est vif comme un chat et plein de ressources. Vous voyez le résultat, dit-elle avec amertume en désignant son œil. Il m'a laissée à demi morte et s'est enfui. Lorsque j'ai fini par reprendre mes esprits, j'ai erré dans Babylone, ne sachant que faire ni où aller. La douleur était terrible. Le contenu de mon œil coulait sur ma joue et j'avais l'impression que ma tête allait exploser.

— Mais pourquoi n'es-tu pas aussitôt revenue auprès de nous ? demanda Mathupolazzar, le visage torturé par le regret. Nous t'aurions soignée.

— J'étais trop faible. Je n'aurais jamais supporté le voyage. Je devais refaire mes forces. Mais des soldats perses m'ont capturée. Ils se sont amusés à me torturer. Ils m'ont brûlé le visage, m'ont fouettée et battue jusqu'à ce que je sois à un cheveu du Royaume d'En-Bas. J'imagine qu'ils me croyaient morte. Lorsque je suis revenue à moi, je ne me souvenais plus de rien. Un officier perse m'a recueillie et m'a soignée. Une fois guérie, il m'a vendue comme esclave. Je n'étais plus qu'une propriété, privée de mémoire et d'identité. Dans cet état, j'ai gaspillé ma vie à Parsagadès, prisonnière du *kan*, à besogner comme une bête de somme pour une famille de porcs répugnants qui me battait et m'humiliait... Puis, soudainement, la mémoire m'est revenue.

Mathupolazzar s'approcha et caressa avec nostalgie la joue rugueuse et déformée de sa disciple favorite, comme il le faisait jadis lorsqu'elle était jeune et belle.

— Ma pauvre, pauvre Arianath... Tant de beauté, perdue à jamais...

Arianath fit une moue et pencha la tête pour cacher ses lèvres tremblantes. Une larme tomba de son œil valide et elle l'essuya honteusement du revers de la main.

— Où l'Élu s'est-il enfui ? demanda Mathupolazzar.

— À Jérusalem.

— Jubelo avait donc raison ! s'exclama le grand prêtre, plein d'espoir.

— Oui, mais il a échoué. Je crois bien que l'Élu l'a tué, lui aussi.

Les épaules de Mathupolazzar s'affaissèrent sous le poids de la déception.

— Heureusement, poursuivit Arianath, je veillais. Je crois que vous serez content d'avoir ceci, dit-elle.

Celle qui avait jadis été une vierge d'Ishtar tendit sa main fermée vers Mathupolazzar et déplia les doigts en souriant. Le grand prêtre écarquilla les yeux, inspira et retint son souffle. Enchâssé dans une affreuse blessure sanglante au cœur de la main d'Arianath se trouvait un fragment du talisman de Nergal.

— Béni soit Nergal… murmura-t-il d'une voix à peine audible. Un des fragments nous est revenu…

Il saisit la main de sa disciple et releva la tête vers elle.

— À l'avènement du Nouvel Ordre, tu seras justement récompensée, chère sœur. Les pouvoirs de Nergal sont grands. Sait-on jamais? Peut-être consentira-t-Il même à te rendre ta jeunesse.

Arianath sourit. Mathupolazzar l'entraîna jusqu'à l'autel, à une extrémité du temple. Il y posa la main de sa disciple, la paume encore sanguinolente vers le haut, et saisit le poignard avec lequel il avait extrait le cœur de la poitrine de Noroboam quelques jours plus tôt.

— Je crains que Nergal n'exige de toi encore quelques souffrances, ma pauvre Arianath, dit-il avec une tendresse étonnante.

— Je comprends, acquiesça celle-ci en regardant son maître droit dans les yeux. Après les misères que j'ai subies, plus rien ne peut m'atteindre. Qu'il en soit fait selon la volonté de Nergal.

D'un geste vif, le grand prêtre planta la lame encore souillée du sang séché de Noroboam dans la main d'Arianath, la glissa sous le fragment et la fit pivoter. La Nergali grimaça mais garda un silence stoïque. Le fragment se délogea et tomba sur l'autel de pierre avec un léger tintement métallique. Autour de Mathupolazzar, les Nergalii était figés dans une attitude de profonde vénération.

Ému, le grand prêtre saisit le petit triangle sombre d'une main tremblante et le caressa du bout des doigts comme le plus précieux des joyaux. Avec révérence, il se retourna vers ses disciples et souleva l'objet à bout de bras. Arianath et les quatre autres Nergalii se jetèrent aussitôt à genoux dans une position rituelle, la main droite sur le cœur et les doigts de la main gauche touchant leur front.

— Grâce soit rendue à Nergal! s'écria Mathupolazzar d'une voix puissante dont l'écho se réverbéra sur le marbre du temple. Par Sa grâce, nous avons retrouvé une partie de notre bien légitime! La voie du Nouvel Ordre est de nouveau visible!

— Gloire à Nergal! répondirent en chœur les Nergalii. Gloire à Nergal!

Le grand prêtre abaissa le fragment et se retourna vers l'autel. Il appuya en séquence sur quelques-uns des nombreux joyaux qui décoraient le meuble. Le bruit d'un mécanisme secret retentit dans la pièce. Une porte jusque-là invisible glissa dans la table de l'autel, laissant apparaître une ouverture. Une petite plate-forme ronde en pierre y remonta lentement et s'y stabilisa à quelques doigts de hauteur. En son centre, on avait sculpté un pentagramme inversé ⛤ qui attendait qu'on y dépose chacun des fragments du talisman de Nergal.

✦

Le couloir était plus long que Manaïl ne l'avait prévu. Beaucoup plus encore que celui qui menait au *kan* de Jérusalem. Il courait, suant à grosses gouttes sous la cotte de mailles et le heaume de l'ordre des Templiers, malgré le froid humide qui faisait luire les parois de pierre. Après de longues minutes, il aperçut enfin la porte. Il y posa sa main gantée de fer et l'entrouvrit avec circonspection. Elle donnait sur un autre *kan*.

Sans faire de bruit, il observa la scène qui se déroulait.

✦

Mathupolazzar se retourna et s'avança vers Arianath.

— Relève-toi, brave et loyale Nergali, lui dit-il en lui prenant la main pour l'aider à se remettre debout. C'est à toi que revient l'honneur de déposer le premier fragment dans le réceptacle sacré du talisman et d'enclencher l'avènement du Nouvel Ordre.

L'œil brillant de fierté devant tant de considération, Arianath se releva et s'approcha de l'autel. Elle prit le fragment de sa main ensanglantée et l'approcha du réceptacle. Après toutes ses souffrances, elle savourait ce moment béni entre tous. C'était elle qui, la première de tous les Nergalii, allait amorcer la reconstitution sacrée du talisman.

Mathupolazzar se retourna vers les autres Nergalii.

— Mes frères, s'écria-t-il avant qu'elle dépose l'objet maudit, soyez tous témoins! Ce fragment retourne à son emplacement légitime. Bientôt, avec l'aide de Nergal, le talisman sera complet et le Nouvel Ordre sera enfin instauré! Gloire à Nergal!

— Gloire à Nergal! s'exclamèrent les autres Nergalii.

Arianath abaissa le fragment vers le réceptacle.

LA PROFANATION DU TEMPLE

Au beau milieu de la cérémonie, sans que personne s'en aperçoive, une porte s'était matérialisée et entrouverte. Elle s'ouvrit avec fracas en percutant un des murs et fendit sur la longueur le magnifique revêtement de marbre. Une terrible apparition surgit, blanche et hurlante, casquée et vêtue de métal, une longue épée à double tranchant tournoyant au-dessus de sa tête en sifflant.

Tirant parti de la stupeur des Nergalii, Manaïl traversa le temple comme une bourrasque de vent et fonça droit sur Arianath. Il abattit son arme et lui trancha le poignet alors même qu'elle allait déposer le fragment dans le réceptacle. La Nergali laissa échapper un cri strident où se fondaient la douleur et la folie. Stupéfaite, elle resta figée, les yeux rivés sur le moignon d'où le sang giclait par jets. Les doigts flasques de sa main, tombée sur la table de l'autel, laissèrent s'échapper le fragment qui s'immobilisa près de la plate-forme circulaire.

Manaïl allait s'en emparer lorsque des mains lui empoignèrent les chevilles, interrompant son élan et lui faisant presque perdre l'équilibre. Il pivota sur lui-même et frappa à la volée. Il s'attarda à peine sur les deux têtes qui roulèrent sans vie sur le sol : l'une au crâne rasé et au visage tatoué, l'autre à la barbe blanche. Il reporta sans délai son attention sur le fragment.

Horrifié, l'Élu constata que l'objet s'était animé. Il se mouvait de lui-même sur la surface de l'autel et glissait vers le réceptacle dont le pouvoir semblait l'attirer. Défiant les lois de la gravité, le fragment se hissa sur le côté de la plate-forme. Bientôt, il en atteindrait le sommet et se logerait de lui-même dans le pentagramme.

Derrière Manaïl, Mathupolazzar secoua sa torpeur. Il saisit le poignard qui était resté sur l'autel et se rua sur l'Élu. Rapide comme l'éclair, le garçon pencha l'épaule et le frappa en plein ventre avec son coude. Le souffle coupé, les yeux remplis d'eau, le grand prêtre de Nergal alla choir sur le sol.

Manaïl tendit sa main gauche dénudée vers le fragment, mais une douleur inouïe lui traversa la poitrine. Il sentit celui qu'il portait en lui étirer sa peau, irrépressiblement attiré par le réceptacle où il avait reposé jusqu'à ce qu'Ashurat l'en retire. Seule la cotte de mailles étroite qu'il portait empêcha sa chair de se déchirer sous la puissance de l'appel. Il plia en deux sous le choc et plaqua la marque de Yhwh contre sa poitrine. La douleur diminua à peine.

Si près du but mais incapable d'avancer, le garçon se revit, assis auprès d'Ashurat qui lui expliquait le sens de la bague des Mages d'Ishtar. *Comme Ishtar règne sur l'amour et la fertilité mais aussi sur la guerre, elle peut aussi bien faire le Bien que le Mal*, lui avait-il dit. *Et l'étoile représente cette ambivalence. Lorsqu'elle est dessinée à l'endroit, la pointe vers le haut, elle représente le Bien. Elle indique que l'homme doit aspirer à s'élever vers le Bien et le Divin. La tête en bas, elle représente le contraire : la guerre, la destruction, l'homme qui se donne au Mal, qui refuse les dieux, qui rejette leurs bienfaits, qui se concentre sur la vie terrestre, le pouvoir, la domination, la satisfaction immédiate. Elle représente des hommes qui ont oublié qu'ils avaient une âme et qu'ils devaient se soumettre aux dieux.* La bague des Mages était animée d'un pouvoir certain. Pouvait-elle combattre celui qui émanait du réceptacle ?

Manaïl laissa tomber son épée sur l'autel de Nergal, déganta sa main droite et ferma le poing. Sur son majeur, la bague des Mages d'Ishtar se mit à briller d'une lumière aveuglante. Il hurla de toutes ses forces et abattit son poing en plein cœur du réceptacle. Une vibration palpable monta le long de son bras et se répandit dans tout son corps. Sous l'autel, un grondement résonna.

Sa bague fichée au centre du réceptacle, l'Élu était secoué comme une feuille au vent par le choc des pouvoirs opposés du Bien et du Mal. Il invoqua l'aide d'Ishtar et supplia maître Ashurat, où qu'il se trouvât, de ne pas l'abandonner. La vibration diminua. Avec une lenteur qui parut infinie, la plate-forme circulaire redescendit dans l'autel. Aussitôt, le fragment s'immobilisa. Saisissant l'occasion, Manaïl s'en empara avec sa main gauche et le comprima aussi fort qu'il le pouvait contre l'étoile de David, comme le lui avait conseillé Hanokh. Il avait réussi. Il ramassa son épée et se retourna pour s'enfuir.

Ses longs cheveux gris en broussaille couvrant son visage, Mathupolazzar, le souffle encore court, jeta un regard furieux au costaud qui était resté figé sur place, les yeux écarquillés.

— Mais fais quelque chose, fils de hyène! vociféra-t-il.

Le jeune homme, ébahi, se secoua et s'ébranla. Manaïl leva son épée pour l'accueillir, mais son adversaire était d'une agilité déconcertante pour quelqu'un de sa carrure. Avant qu'il n'ait pu abattre son arme sur lui, le colosse lui saisit le poignet et lui tordit le bras. Quelque chose céda dans l'articulation du garçon et sa main s'engourdit. Son arme lui échappa. D'un mouvement leste, le Nergali passa derrière lui, encercla son corps avec ses bras puissants et serra de toutes ses forces. Manaïl sentit ses côtes craquer sous l'étreinte. Ses yeux se remplirent d'étoiles multicolores.

— Tue-le! hurlait Mathupolazzar, hystérique, en tapant du poing sur le sol. Tue-le!

Emprisonné dans l'irrésistible étreinte, Manaïl s'accrochait de son mieux à sa conscience qui faiblissait. Devant lui, à travers le voile qui lui obscurcissait la vue, se tenait Arianath. Un sang abondant s'écoulait toujours de son moignon, mais elle paraissait y être insensible. Dans la main qui lui restait, elle tenait l'épée de templier qu'elle avait ramassée sur le sol. L'air absent, elle pointa l'arme vers le cœur de l'Élu et frappa.

Faisant appel à ses dernières forces, Manaïl parvint à pivoter sur lui-même au tout dernier instant, entraînant dans son mouvement le Nergali qui le retenait. Il entendit un gargouillis et la pression sur sa poitrine se relâcha. Il se retourna. Le colosse était à genoux, les yeux remplis d'incompréhension. Un filet de sang coulait de la commissure de ses lèvres. Il ne parvint qu'à émettre un grognement et s'écroula, mort.

Arianath leva l'épée dans les airs, enjamba le corps et se rua sur Manaïl, en proie à une furie sauvage. L'Élu s'accroupit pour éviter le coup et la lame frappa solidement le métal de son heaume. D'un même geste, il dégaina la dague de sa ceinture et l'enfonça jusqu'à la garde dans le ventre de la Nergali, qui émit un affreux couinement et s'affala sur le sol.

Sonné, chaque inspiration lui causant d'atroces douleurs, Manaïl se releva et se retourna vers Mathupolazzar. Il avait l'occasion inespérée d'en finir avec le grand prêtre de Nergal. Titubant, le fragment serré tel un trésor précieux dans sa main gauche, il s'approcha, la rage au cœur. Comprenant le sort qui lui était réservé, Mathupolazzar se traîna à reculons sur les dalles de pierre, les mains devant le visage.

— Non… Ne me fais pas de mal… geignit-il. Je t'en supplie. Je… Je te donnerai de l'or… Tout ce que tu voudras… Je… Je te ferai prêtre de Nergal. Tu seras puissant, très puissant… Tu domineras le Nouvel Ordre…

La colère de Manaïl était telle que les battements assourdissants de son cœur lui emplissaient les oreilles. Il n'entendait pas les lamentables suppliques de Mathupolazzar. Un rictus de haine pure lui déformant le visage, il s'approcha en respirant bruyamment et brandit sa dague.

Au même moment, la porte du temple s'ouvrit avec force et une dizaine de Nergalii armés jusqu'aux dents firent irruption.

— Maître! s'écria leur meneur en constatant la position précaire du grand prêtre.

Comme un seul homme, les nouveaux arrivants s'élancèrent l'épée au poing vers Manaïl. Réalisant que le fait de mettre son plan meurtrier à exécution équivaudrait à y laisser la vie et à interrompre à jamais la quête des autres fragments, Manaïl fit la seule chose qui était possible : il se précipita vers la porte du temple du Temps, la franchit et la referma juste comme une épée s'y abattait.

Dans le temple de Nergal, la mystérieuse porte disparut devant les Nergalii stupéfaits.

✦

De l'autre côté, Manaïl se laisser glisser contre le bois massif, épuisé et haletant. Dans sa main gauche, il tenait toujours le fragment. Chaque inspiration lui causait une douleur lancinante qui le faisait presque défaillir. Mais le fragment était hors de danger. Il ferma les yeux et, une fois encore, rendit grâce à Ishtar.

✦

Mathupolazzar était en proie à une colère terrible. En se tirant les cheveux, il observait avec dégoût les cadavres qui jonchaient le lieu sacré. Il se maudissait d'avoir été si magnanime. Il avait tenu le fragment dans sa main. S'il l'avait seulement déposé lui-même dans le réceptacle au lieu de faire une fleur à Arianath... Maintenant, ce maudit Élu le détenait.

Il s'approcha de l'autel. Le réceptacle avait été repoussé de force à l'intérieur. Avec tristesse, il actionna le mécanisme en pressant les joyaux et la porte secrète se referma. Puis il se retourna vers ses disciples.

— Ramassez-moi tout ça, ordonna-t-il, dépité, en désignant les cadavres qui gisaient un peu partout sur le sol.

Pendant que les Nergalii nettoyaient, il s'approcha de l'endroit où cette mystérieuse porte était apparue. Bien sûr, il connaissait l'existence du temple du Temps. Mais il ignorait qu'il donnait directement accès à celui de Nergal. Désormais, il devrait s'assurer coûte que coûte que le lieu du culte était à l'abri des intrusions. Il ferait garder cet endroit de nuit comme de jour, de crainte que l'Élu ne l'utilise de nouveau. Et puis, les savoirs des Anciens ne lui étaient pas étrangers. En s'appliquant, peut-être découvrirait-il comment pénétrer lui-même dans le temple du Temps?

✦

Manaïl se releva avec difficulté et remonta le passage jusqu'au temple du Temps. Lorsqu'il l'atteignit, il s'évanouit près de la dépouille d'Ashurat. D'outre-tombe, son maître veillait sur lui.

44

LA RÉBELLION DE L'ÉLU

Dans le temple du Temps

*M*anaïl était étendu sur le dos. Il sentait les pierres froides du sol contre sa peau nue. Il tenta de bouger mais son corps lourd refusait de lui obéir. Seule sa tête était mobile. Il regarda à gauche puis à droite. La pièce dans laquelle il se trouvait était vide. Le plafond, les murs, tout était blanc et il y régnait un silence oppressant.

Tout à coup, un sifflement retentit. Du regard, il en chercha la source. Un scorpion.

— Je peux monter ? demanda l'insecte.

— Si tu ne me piques pas... répondit Manaïl.

— Je te le promets.

Le scorpion escalada le pied nu du garçon et, la queue dressée, se mit à avancer sur ses quatre paires de pattes. Bientôt, il atteignit la poitrine de Manaïl et s'arrêta au milieu du *pentagramme inversé. Il raidit la queue et y enfonça son dard. Une sensation de chaleur se répandit dans le corps de Manaïl puis se transforma en brûlure.*

— Tu avais promis de ne pas me piquer! s'insurgea Manaïl, essouflé.

— Je sais, admit le scorpion. Mais personne ne peut aller contre sa nature. Ni moi ni toi, Élu.

✦

Manaïl s'éveilla en sursaut. Désorienté, il lui fallut un moment pour retrouver ses esprits. Il se trouvait dans le temple du Temps.

— Je suis fière de toi, Élu, dit une voix près de lui.

Il se retourna. Ishtar était là, près de l'autel où reposait maître Ashurat. Les mains jointes, Elle avait retrouvé toute sa grâce et le regardait en souriant. Subitement, tout lui revint. Il ouvrit la main gauche. Le fragment n'y était pas. Paniqué, il scruta le plancher du regard, espérant l'avoir échappé en tombant.

— Ne t'inquiète pas, dit la déesse. Le fragment est en sécurité.

— Où cela? demanda Manaïl.

— Dans le seul réceptacle qui soit assez puissant pour le conserver. Toi. Tu avais déjà assez souffert. Je m'en suis occupée pendant que tu dormais.

Manaïl se tâta la poitrine. Même à travers la cotte de mailles et le manteau, il pouvait maintenant y sentir deux bosses.

Il se leva sans dire un mot et, d'un pas déterminé, se dirigea vers la porte marquée de l'étoile de David et la poussa.

— Où vas-tu? s'écria la déesse. Tu n'as plus rien à faire dans ce *kan*. Tu dois suivre les fragments un à un, dans l'ordre où ils ont passé les portes!

Manaïl s'arrêta sur le seuil et se retourna. Il riva sur la déesse un regard d'une fermeté qui frisait l'insolence.

— J'ai quelque chose à faire. La prophétie des Anciens dit que je combattrai le Mal par le Mal. Mais elle dit aussi que je suis Fils du Bien. J'en ai assez de causer la mort de gens innocents. Lorsque j'aurai terminé, je reviendrai. Et si Vous n'êtes pas d'accord, eh bien, tant pis!

Manaïl franchit la porte et retourna à Jérusalem, laissant la déesse, pantoise, seule dans le temple du Temps.

LE RETOUR

Jérusalem, en l'an de Dieu 1244

A u pied de l'imposante muraille de Jérusalem, des flammes éclairaient la nuit.
Leur danse donnait une apparence surnaturelle aux énormes blocs de pierre qui
composaient l'ouvrage et à la haute porte de
bois fortifiée qui était fermée à double tour.
Autour d'un feu de camp, des pèlerins vêtus
de haillons regardaient dans le vide, l'air
hagard.

— Tu crois qu'on va jamais finir par entrer ?
demanda avec un profond soupir de lassitude
un homme âgé à son voisin plus jeune. Ça fait
deux jours qu'on attend.

Sans que personne le remarque, un jeune
templier en manteau blanc à croix rouge et à
la tête casquée émergea discrètement d'une
porte qui était apparue dans la muraille. Il se
mit à circuler entre les feux de camp. Il boitait

et se tenait les côtes d'une main, mais semblait savoir exactement où il allait.

— Eh! l'interpella un homme âgé. Quand crois-tu que nous entrerons à Jérusalem?

— Demain matin, répondit avec assurance le templier sans s'arrêter. Sois patient.

— Tu as vu? Il n'a même pas de barbe... dit le vieil homme à son voisin pendant que le frère s'éloignait. Ils les prennent de plus en plus jeunes!

Manaïl traversa le camp improvisé des pèlerins et se rendit jusqu'à la porte Saint-Étienne. Il dégaina son épée et frappa trois coups avec le pommeau.

— Qui va là? s'écria une voix qu'il reconnut.

— Le frère Maurin de l'Isle. Je porte un message d'Enguerrand de Montségur, frère hospitalier de l'ordre des Pauvres Chevaliers du Christ et du Temple de Salomon et nouveau commandeur de la cité de Jérusalem, mandé Outremer par Armand de Périgord, grand maître des Templiers. Ouvre-moi, frère Théobald! Et demande au frère Faustin de t'aider. Je n'ai pas toute la nuit!

Manaïl n'eut à attendre que quelques secondes avant d'entendre des pas s'approcher de l'autre côté. Les deux templiers entrouvrirent et Manaïl se glissa dans l'ouverture.

– À qui le message est-il destiné ? s'enquit le frère Théobald.

– Au frère hospitalier de la templerie. Il y a beaucoup de malades parmi les pèlerins et il doit être prêt à les recevoir. J'ai ordre de lui remettre en main propre les directives du frère Enguerrand.

– Bon, tu peux passer, dit le frère Théobald en s'écartant.

Manaïl fit un signe brusque de la tête et s'éloigna. Il marcha vers le dortoir, y entra et demanda au garde où se trouvait la cellule du frère Bruno.

– Le frère Bruno ? répondit le garde. Si tu le vois, tu serais gentil de me le faire savoir. Nous le cherchons depuis ce matin. Il s'est volatilisé. Sa cellule est au fond, sur la droite, là-bas.

– Merci.

Le garçon se rendit à l'endroit désigné et y pénétra. Il repéra rapidement la chose qu'il voulait et la glissa dans sa poche. Puis il rebroussa chemin. De retour à la porte Saint-Étienne, il retrouva le frère Faustin.

– Déjà ? fit ce dernier, étonné. Tu n'as pas flâné !

– Ce n'était qu'un message à livrer. Ouvre-moi. Je dois repartir et transmettre la réponse.

Le templier obtempéra. Avant de sortir, Manaïl se retourna et jeta un regard nostalgique sur Jérusalem, qu'il quittait pour toujours. Malgré tout ce qui lui était arrivé, il avait aimé cette ville magnifique.

Parvenu au lieu qu'il recherchait, il trouva le frère Enguerrand, seul et en prière, penché sur le corps de son écuyer. Le commandeur sentit que quelqu'un s'approchait et sursauta.

— Que veux-tu, frère ?

— Vous sauver la vie, commandeur.

Le frère Enguerrand se dressa sur toute sa hauteur et vint à sa rencontre.

— Mais de quoi parles-tu ? demanda-t-il en grommelant. Et puis, qui es-tu ? Je ne me rappelle pas t'avoir vu.

Manaïl sortit de sa poche la bague qu'il avait prise dans la cellule de Jubelo et la lui tendit.

— Prenez cette bague, dit-il. Conservez-la précieusement. Lorsque vous atteindrez la chambre du trésor de Salomon, vous trouverez une dalle de pierre qui en bloque l'accès. Ne la brisez pas, vous affaiblirez toute la structure de la voûte secrète. Elle s'effondrera et vous y perdrez la vie. Cherchez plutôt un petit cercle qui y est gravé. Insérez-y la bague et la dalle s'ouvrira d'elle-même. Ceci vous donnera accès à la voûte secrète de maître

Hiram. Les richesses que vous cherchez s'y trouvent, ainsi que les Tables de la Loi.

Estomaqué, le frère Enguerrand prit la bague et l'examina. Puis il releva la tête vers son mystérieux interlocuteur.

— Mais, mais… Comment peux-tu savoir ?… Par la sainte Croix de Jésus notre Sauveur, qui es-tu, à la fin ?

— Adieu, frère Enguerrand, répondit Manaïl en tournant les talons. Puisse votre dieu vous accorder longue vie.

Hébété, le commandeur regarda le jeune templier disparaître dans la nuit.

46

LE REPOS DU GUERRIER

Dans le temple du Temps

Avant de franchir la porte du temple du Temps, Manaïl se dévêtit. Il n'aurait plus besoin du manteau de l'ordre des Templiers, de la cotte de mailles, du heaume et des armes. Il entra et referma derrière lui.

À son arrivée, Ishtar l'attendait. Elle se retourna et l'accueillit en souriant.

— Tu as le cœur pur, Élu. Le geste que tu as fait était noble. Malheureusement, il ne changera rien à l'ordre des choses. Les Templiers vont bientôt disparaître, et le trésor de Salomon avec eux.

— Peut-être, mais le frère Enguerrand, lui, aura une vie normale.

Manaïl hésita un moment.

— N'est-ce pas ? demanda-t-il, inquiet.

— Oui, ne t'en fais pas pour lui. Sa vie sera encore longue et tranquille. Il pensera d'ailleurs souvent à toi. Peut-être le retrouveras-tu même sur ta route. Les voies des Anciens sont bien mystérieuses, répondit la déesse d'un ton énigmatique.

Malgré son épuisement, l'Élu sourit.

— Tu es à bout de forces. Repose-toi, dit Ishtar en désignant une couche moelleuse posée à même le sol du temple.

— Mais la quête ? protesta-t-il. Je dois repartir…

— La quête sera encore là, à achever, quand tu t'éveilleras. Dors.

Manaïl sourit et s'allongea. Il s'endormit presque aussitôt d'un profond sommeil, aux côtés de la dépouille d'Ashurat. Pour longtemps.

LE SURVIVANT

Paris, en l'an de Dieu 1245

Le frère Enguerrand ressentait une fatigue comme il n'en avait jamais éprouvée de sa vie. Le voyage vers Paris avait été très long et difficile. Il avait réussi à quitter de justesse Jérusalem avant que les musulmans ne déclenchent leur attaque. Pendant plusieurs jours, son convoi lourdement armé avait été harcelé par l'ennemi. Mais, avec l'aide de Dieu, il s'en était sorti. Sa mission était un succès. Grâce à lui, le trésor du roi Salomon, immense, presque incalculable, avait été déposé dans les voûtes de la templerie de Paris. L'ordre des Pauvres Chevaliers du Christ et du Temple de Salomon était sauvé. L'ex-commandeur de la cité de Jérusalem ignorait que, soixante-deux ans plus tard, le roi de France, Philippe le Bel, et le pape Clément V se ligueraient contre le

Temple, en ordonneraient l'abolition, torture-raient ses membres, brûlerait sur le bûcher Jacques de Molay, le dernier grand maître, et tenteraient de s'emparer de ses richesses. Heureusement, les templiers étaient pré-voyants. Lorsque les soldats français feraient irruption dans la voûte, ils la trouveraient vide...

Distraitement, le frère Enguerrand fit tourner entre ses gros doigts la bague que lui avait remise le mystérieux jeune frère qu'il n'avait jamais revu une fois entré dans Jérusalem. Les voies de Dieu étaient vraiment impénétrables...

À suivre.

TABLE DES MATIÈRES

LE TALISMAN DE NERGAL

TOME 1
L'ÉLU DE BABYLONE

TOME 2
LE TRÉSOR DE SALOMON

Rémprimé en février 2009 sur les presses de
Transcontinental-Gagné
à Louiseville, Québec.

CANTONESE
Practical Dictionary